Malcolm Lowry

Hotelzimmer in Chartres

Erzählungen

Deutsch von
Joachim Sartorius und
Susanna Rademacher

Rowohlt

Susanna Rademacher übersetzte
«Seltsamer Trost, den der Beruf gewährt»
und «Pompeji heute»
Joachim Sartorius übersetzte
«Hotelzimmer in Chartres» und «China»

Veröffentlicht im
Rowohlt Taschenbuch Verlag GmbH,
Reinbek bei Hamburg, Januar 1996
Die Texte der vorliegenden Ausgabe wurden
den Bänden «Die letzte Adresse» und
«Hör uns, o Herr, der Du im Himmel wohnst»
entnommen.
Umschlaggestaltung Walter Hellmann/Beate Becker
(Illustration: Christian Chruxin)
Gesetzt aus der Sabon (Linotronic 500)
Gesamtherstellung Clausen & Bosse, Leck
Printed in Germany
200-ISBN 3 499 22028 8

Inhalt

Hotelzimmer in Chartres

Der Frühlingsmorgen in Paris mit seinen fahrigen Regenwolken wie Rauch und mit dem Rauch selbst aus den Schlöten, rußige Schornsteine – sagte er zu sich selbst –, kam ihm, als er aus dem Fenster über Alésia schaute, wie ein Morgen auf See vor, ein trostloser Morgen aus Nebel und Regen auf See; der Eiffelturm, wie ein hinter dem Regen verschatteter Leuchtturm, und der Rauch, überall Rauch aus Fabrikschlöten, vom Wind gejagt und zerrissen, gaben ihm nicht ein Gefühl, daß alles wuchs, sondern belebten in ihm nur die hilflose, schmerzende Sehnsucht nach der See.

«Ich wünschte, ich wäre wieder dort», sagte er.

«In Chartres?» fragte seine junge Frau.

«Nein. Auf See.»

Sie stritten sich nun seit dem Morgengrauen; es war sein Eindruck, daß vielleicht er es gewesen war, der den Streit heraufbeschworen hatte, da der Tag vor ihrem geplanten Ausflug nach Chartres und die Melancholie des Regens, der ihre Reise verhinderte und ihre

7

Herzen teilte, in ihm die Wunde eines alten Abschieds von ihr, vor vielen Jahren, geöffnet hatten.

Die Möwen flogen über den Fluß, der Frachter kappte das Seil und glitt von dem grauen Leib des Kais, die Rinne zwischen beiden wurde größer, Taschentücher flatterten; das Schiff schwang herum und nahm dampfend Kurs auf die offene See.

Er war damals Bootsmann gewesen, ein sehr junger Bootsmann; aber jene Reise war seine letzte gewesen. Er kam zurück, zu seinem Mädchen und um ein Leiden in Musik zu übertragen, das seine Kräfte überstieg; er hatte von der See gelassen, nicht länger fähig, den Schmerz auszuhalten, den ihre Wirklichkeit bereitete, so wie er jetzt ohne die Gegenwart dieser Wirklichkeit nicht länger den Schmerz, den ihre Illusion bereitete, aushalten konnte.

Ach, die Innigkeit jenes Abschieds, die Innigkeit der Erinnerungen, an ihr helles Lachen, ihre Lippen, die Innigkeit des nach vorn gerichteten Blicks und des Blicks zurück, wenn Abschiede nur nicht so innig wären!

«Ich fahre heute nachmittag nach Chartres», sagte er plötzlich. «Kommst du mit?»

«Du mußt lernen, im Umgang mit mir nicht so dickköpfig zu sein», gab sie zurück. «Aber wie es auch sei, was hat es für einen Sinn, jetzt nach Chartres zu fahren? Es ist spät, und es regnet immer noch. Wir könnten überhaupt nichts tun.»

«Dickköpfig oder nicht, ich fahre nach Chartres, heute nachmittag. Kommst du?»

«Nein.»

«Auch gut. Leb wohl.»

«Leb wohl.»

Er ging hinunter in die Avenue de Châtillon mit einem – wie er dachte, als ihm sein regenverschrammtes, einen kleinen Koffer tragendes Spiegelbild aus einem Schaufenster entgegenkam – entschlossenen, schwermütigen Gesichtsausdruck; als er aber die Métro Alésia erreichte, waren seine Schritte schon unsicher geworden, und er drehte sich um. Seine Frau kam ihm nicht nach. Als er den Fahrschein von seinem Métro-Carnet riß, fühlte er sich bereits beraubt. Da sich die Ankunft des Zuges, Direction Porte de Clignancourt, um einige Minuten verzögerte, beobachtete er die Leute, die durch die Sperre gingen. Ungeduldig hoffte er, daß sie käme. Aber sie kam nicht.

In der Métro fragte er sich, warum er überhaupt nach Chartres wollte, ausgerechnet nach Chartres, allein, wo doch Chartres der Ort war, wo ihr gemeinsames Leben wirklich

9

begonnen hatte. Beide wußten sie das. Für ihn war Chartres seine Frau, seine eigentliche Lebenskraft. Mitgefühl für sie strömte wie Feuer durch ihn; er konnte nicht allein zu der Ruelle de la Demi-Lune gehen, nicht zu dieser Straße, es war ihr Hotel, ihr Zimmer. Die Morgen, die sie mit Wanderungen durch die Kathedrale verbrachten, Saint Piat am Südportal, zu jener Zeit zündeten sie ihrer Liebe eine Kerze an; und die dröhnenden Nächte, die durch die Flugzeuge vom nahen Flughafen in eine Welt aus vorüberziehenden grünen und goldenen Sternen verwandelt wurden. Selbst die absurde *Grotte Luminaire* und das *Café Jacques Restaurant Bar du Cinéma* gehörten ihnen allein. Und der merkwürdige Bahnhof, der gerade repariert wurde und über den ihr französischer Freund gesagt hatte: Es könnte eine Irrenanstalt, es könnte eine Kirche sein, aber ein Bahnhof… Nein, alle diese Dinge gehörten auf irgendeine Weise zu ihnen, und es zu leugnen, war Verrat.

Am Montparnasse stieg er aus und ging zur Bahnhofshalle hinauf. Er durchforschte die Anschlagtafeln: Brest, Le Mans, Passy, Versailles. Ah! der 17 Uhr 03-Zug nach Brest hielt in Chartres. Er hatte eine halbe Stunde Zeit.

Er setzte sich. Trotz des Tageslichts flakkerte eine elektrische Anzeige: *Sandwiches, Paniers Repas, Provisions*. Er bestellte ein Bier und beobachtete die Menge; sie trieb langsam an ihm vorbei wie Schatten in einem schwarzen Dunst, Gepäckträger, Liebespaare, Krankenschwestern, Krüppel. Eine andere Reklame flackerte: *Passez vos vacances à la mer*. Der Regen trommelte auf das Bahnhofsdach, seine Folter ließ nicht nach, in Abständen jedoch wurde jeglicher Gedanke ausgelöscht durch das entsetzliche Kreischen eines abfahrenden Zuges, einem Schiff ähnlich, das Dampf in seinen Ladewinden abließ. Die Schreie, der Geruch nassen Eisens, es konnte von der See feuchtes, frisch mit Mennige angestrichenes Eisen sein. Er fühlte sich alt und krank.

Die Uhr auf der Wand über den Gleisen ließ er nicht aus den Augen, ihr silberner Finger kroch auf fünf zu. *Fuir là-bas, fuir …*

Es war jetzt Zeit; in dem Augenblick aber, da er sich entschlossen hatte aufzubrechen, sah er seine Frau eilig ihm entgegenkommen, und er fühlte sogleich Zärtlichkeit für sie und Erleichterung, daß sie gekommen war; als er sich aber ihr zuwandte, um zu sprechen, stellte er fest, daß er einen plötzlichen Drang, sie zu verletzen, niederzukämpfen hatte, eine Roheit in ihm, die selbst ihn überraschte. Und als er schließlich sprach, so war es unverbindlich, als spreche er zu einer Fremden.

«So bist du also doch gekommen.»

«Ja.»

«Fährst du nach Chartres?»

«Ich hatte es vor.»

«Dann aber los, wir müssen uns beeilen.»

Er sah, daß sie eine Versöhnung erwartet hatte, daß sie ihre Ankunft sorgfältig vorbereitet hatte und daß seine Gleichgültigkeit sie bitter verletzte. Aber er konnte in diesem Augenblick nicht einfach bloß nett zu ihr sein, zu tief war der Konflikt in ihm vergraben, und er liebte sie zu sehr, um sie mit Zuneigung zu kränken. Er kaufte einen zweiten Fahrschein, und die Menge trug sie vorwärts durch die Einlaßtür auf den Bahnsteig.

In dem Abteil saß er mit unbeirrbarer Miene da, die Lippen fest geschlossen, die Augen auf einen Punkt über dem Kopf seiner Frau gerichtet, auf nichts, und gelegentlich gab er ihr einen Blick, der sie bestrafen sollte; und sie saß ebenso unbeirrbar da, entschlossen, nicht nachzugeben.

So ist ein Segelschiff, dachte er, bei Windstille oder im Wind in seiner Beziehung zu dem Meer. Dann bricht der Sturm los, das Schiff wird getrieben, wird im heulenden Orkan auf verräterischen Felsen zerbrochen, auf einem dem Meer fremden Element. Denn das Meer wird es nie wirklich brechen; wie lange es auch seinen widerlichen Leib hin und her wirft, wird es das Schiff nie ganz verschlingen können. Denn in seiner sinnlosen Raserei hat er nur erreicht, sie völlig zu verlieren…

Oh, wenn sie nur wieder sein könnten wie das Meer und die Flut, von einem kalten Mond über den Sand gerufen! Dann würden sie bald, wenn einer von ihnen verlassen oder verzweifelt wäre, wieder so glücklich miteinander sein! Warum hast du nicht mehr von Vater Neptun? fragte er sich – als vier Seeleute, die im Gang gewesen waren, in das Abteil kamen. Er bedachte seine Frau mit einem triumphierenden Blick: Nun siehst du, was für ein Wald von Symbolen die Welt ist…

Ohe Kalo
Ohe O he O
Ohe Kalo les matelots
Les matelots
Ohe O he O

«Ich vermute, du wärst gerne einer von ihnen», sagte sie.

«Du willst sagen, du wärst gerne ein

Mann», gab er schnell zurück. «Deine ständige Redensart, so daß du selbst der sein kannst, der mit ihnen ist. Aber von dem Augenblick an, da ich mit ihnen sein möchte, ich selbst sein möchte, nicht nur mit Seeleuten, sondern mit irgend jemandem, haßt du mich.»

O he Kalo
O he O he O

Er schaute die Seeleute an und mutmaßte, daß sie Bootsmann, Lampenputzer, Schreiner und der eine Vollmatrose waren. Vielleicht war der letztere auch ein Hilfsmatrose oder ein Heizer oder sogar ein Hilfskesselheizer, aber er schien ein Vollmatrose zu sein. Der Bootsmann hatte ein Fenster im Gang kaputtgemacht, sie sangen, ließen die Flasche kreisen, rissen sich an den Haaren, traten sich auf die Füße, aber sie waren umsichtig und achteten freundlich darauf, seine Frau nicht in Verlegenheit zu bringen. Sie hörten zu singen auf, aus Furcht, unhöflich zu sein. Statt dessen las einer laut aus *Séduction* vor, während die anderen sich um die Zeitung scharten, in dem offenbar sicheren Gefühl, daß dadurch seine Frau sich nicht belästigt fühlen würde.

«Aprilblume», las der Bootsmann vor,

«zwanzig Jahre, blond, distinguiert, sucht Briefpartner, um die Traurigkeit des Lebens in einer kleinen Provinzstadt zu mildern.»

Die anderen drängten sich zusammen und lasen gemeinsam mit kindlichem Vergnügen: «Samtauge wünscht sich, Patentante eines kleinen blauen Soldaten zu sein.»

«Samtauge», lachte er seiner Frau zu. Die Seeleute lachten auch.

«Schmetterling mit Flügeln aus blauen Wünschen möchte Gedanken und Träume austauschen, 30 Jahre, hübsch; kultiviert.»

Während er sie betrachtete, während der Zug auf seinem Weg zur See durch Maintenon donnerte, ging er einmal mehr an Bord aller seiner Schiffe, fuhr von Exchange nach Prester, um an Bord der *Suley*, nach Birkenhead, um an Bord der *Mentor*, nach Oslo, um an Bord der *King Haakon* zu gehen, und an Bord aller anderen. Er sah ein Schiff sich still im Morgengrauen dem Hafen nähern: das Klopfen der Wache, das schlaftrunkene Kriechen aus der Koje: dann stolperten sie tastend den Weg zur Brücke für die Befehle des Tages hinauf. Braucht euch heute nicht um eine Ganzwäsche kümmern, sagte der Maat, pflanzt euch auf dem Achterdeck auf und macht die Ladebäume hoch.

«Moderne Eva, 23. Sucht lieben Gefährten für Autofahrten und echte Freundschaft.»

Hierbei schaute er seine Frau grimmig an: «Das ist doch, was du dir gewünscht und was du bekommen hast? *À deux* zu lesen: *300 histoires pépères... Ève ressuscitée, ou la belle sans chemise*», fügte er brutal hinzu. «Ja, ich möchte wirklich wieder dort sein, ich möchte mit ihnen sein. Merkst du denn nicht, daß sie sich zurückhalten, wenn du hier bist?»

Seine Frau verließ das Abteil. Sie weinte.

Als sie zurückkkam, schwenkte ihr Mann die Flasche und sang mit den anderen Seeleuten:

> *Ohe Kalo*
> *Ohe O he O*
> *Ohe Kalo les matelots*
> *Les matelots*
> *Ohe O he O*

In dem Augenblick aber, da sie das Abteil betrat, hörten sie zu singen auf, hielten sich nervös im Zaum, erröteten wie Schulkinder, bildeten sich zu ihrer eigenen Gruppe zurück; und auf ähnliche Weise wurde er, durch ihren Auftritt, geteilt in seine und in ihre Welt. Er gab die Flasche zurück.

Der Zug fuhr durch St. Prest, Preston, Prester, dachte er mit jähem Grauen und sah das Schiff, seemüde, an die Pier gelehnt, und die Stöße Bauholz aus Archangelsk neben ihm. Ein dunkles Eisenskelett stand über dem verfluchten Schiff, Kohle fiel in Strömen aus ihm herab, polterte unaufhörlich in die Bunker; und er verlor sechs Jahre seines Lebens, als er sich noch einmal, nicht als Bootsmann, sondern als Heizer sah, als fyrebotere, einen der schwarzen Bande, der nach der Wache mit im Wind flatterndem Haar am Eingang zum Maschinenraum stand.

«Ja», sagte er plötzlich zu seiner Frau, «ich wünschte, ich wäre wieder dort, ich ginge mit ihnen an Bord eines dreckigen alten Schiffes. Gut möglich, daß es ein Mistleben ist, so von schmutzigem Hafen zu schmutzigem Hafen zu schippern, aber es ist besser als dieses endlose Streiten, dieser Zwist. Dort waren immerhin manchmal unsere Leben in Gefahr.»

«Ist unser Leben jetzt nicht in Gefahr?»

Nun bemerkte er, daß der Regen aufgehört hatte, und er beobachtete den Schatten des Zuges, der neben ihnen die Felder entlangglitt, über die Apfelblüten und den blühenden Frühlingsweißdorn hin, mit ihnen Schritt haltend, und diese ganze Lieblichkeit nahm er zornig auf. Jetzt waren sie in Chartres.

Er sah einen der Seeleute draußen im Gang stehen; sah ihn den Heizungshebel von *chaud* auf *froid* schieben, hin und zurück; volle Kraft voraus, halbe Kraft voraus, achteraus, bis seine Kameraden ihn wegzerrten, um einen zu trinken.

Während seine Frau und er sich einen Weg zur Sperre bahnten, kreisten die Seeleute um sie, als würden sie ihnen zu Hilfe kommen. An der Sperre drehte er sich zu ihnen um und sagte:

«*Bonne Chance*. Viel Glück. Eine gute Reise. Und grüßt mir die Straße von Malakka.»

«Wir fahren nicht zur See, wir fahren nach Hause», sagte einer der Seeleute. «Wir wurden in Bremen abgemustert, und jetzt fahren wir nach Hause nach Brest.»

«Ach, ihr fahrt nach Hause.» Unwillkürlich lachte er. «Nun, wir tun das auch.» Und seine Frau stimmte in sein Lachen ein.

«Ja, wir fahren nach Hause.»

Dann mußten die Seeleute auf ihren Wagen losstürzen; auf ihrem Weg ließen sie eine Flasche von der *buvette* mitgehen.

«*O he O les matelots*», brüllten sie und lehnten sich aus den Fenstern, als der Zug den Bahnhof verließ.

Er drehte sich um. Der Bahnhof schien ihm wie ein riesiges Schiff, das abgetakelt wurde. Im Hinausgehen sahen sie die Kathedrale , ihr Dach in Gestalt einer grünen Welle, die sich am aufragenden Felsen des Turmes brach, und dahinter toste die blaue und weiße See des kalten Himmels – *Grotte Luminaire, Café Jacques Restaurant Bar du Cinéma*, Ruelle de la Demi-Lune –

Die Flugzeuge dröhnten über sie hinweg: die Welt verwandelte sich in ein abendliches Land aus Apfelblüten und Sternen. Der Mond zog sanft die zurückweichende Flut der Frau in das beruhigende Meer des Mannes.

Und oben in dem einzigen Zimmer der Welt lagen sie einander verschränkt in den Armen und weinten vor Freude, daß sie sich noch einmal gefunden hatten.

China

China ist was Verworrenes für mich, gerade so wie ein Traum, meistens ein verkorkster Traum. Denn es nimmt, obschon ich dort gewesen bin, mitunter eine Beschaffenheit an, die meine Vorstellung ihm verliehen hatte, bevor ich hinging. Aber selbst wenn ich dort lebte, würde es mir immer noch unwirklich vorkommen; denn die meiste Zeit denke ich nicht daran, und wenn ich es tue, bringt es mich zum Lachen.

Ich lebe jetzt unten bei den Docks in Hoboken, New Jersey, und ab und zu gehe ich hinunter, um ein Schiff zu sehen, das den Westlichen Ozean überquert hat. Das macht mich nicht heimwehkrank oder weckt in mir die alte Liebe zu dem Meer oder für Erinnerungen, die ich in China bekommen habe. Noch macht es mich unglücklich zu denken, daß ich dort war und im Grunde doch so wenig Erinnerungen daran habe.

Ich glaube nicht an China.

Sie können sagen, daß ich dem Mann gleiche, von dem Sie vielleicht gelesen haben, der sein Leben als Seemann auf einem Schiff verbrachte, das regelmäßig zwischen Liverpool und Lissabon hin- und herfuhr, und bei seiner Entlassung über Lissabon nur sagen konnte: die Straßenbahnen fahren dort schneller als in Liverpool.

Wie Bill Adams kam ich frisch von einer englischen Public School, wo ich einen Zylinder und einen Spazierstock mit Silberknauf getragen hatte, zur See, aber da hören die Ähnlichkeiten auf. Ich war Heizer.

Zu dieser Zeit war in China ein schrecklicher Krieg im Gange, und auch daran glaubte ich nicht. Von genau der anderen Seite des Flusses, wo wir festgemacht hatten, feuerte China seine Gewehre ab. Dum! dum! dum!, aber die ganze Sache fegte über unsere Köpfe hinweg, ohne uns zu berühren. Nicht daß ich auch nur eine Spur mehr daran geglaubt hätte, wenn wir alle zur Hölle befördert worden wären: Wir bringen solche Schicksalsschläge nicht mit uns selber in Verbindung. Aber es war so, als träumte man – wie ich es oft tue –, völlig unversehrt unter dem Tumult eines gewaltigen Wasserfalls zu stehen, Niagara zum Beispiel.

Wir lagen Bug an Bug mit einem englischen Schlachtkreuzer, *H. M. S. Proteus*. Achtern war eine hohe, buntbemalte Ningpo-Dschunke. Abgesehen davon gab es, bevor die Schauermänner kamen, in unserer Umgebung wenig, das darauf hindeutete, daß wir nicht zu Hause waren: Selbst der Krieg, so greifbar er auch durch den Flußnebel schien, der das gegenüberliegende Ufer auslöschte, verscheuchte diese Illusion nicht: Viel mochte während unserer Abwesenheit von England im Guten oder Bösen geschehen sein. Und das bringt mich vielleicht zu dem einzigen für mich wirklich entscheidenden Punkt. Wir sind immer ‹hier›. Sie haben das nie empfunden? Nun, bei mir hatte es etwas sehr Zwingendes. In einer englischen Zeitung konnte ich von der berühmten Stadt lesen, die vor unserer Nase lag, in sich zerrissen, nicht nur durch eine mögliche Invasion, sondern auch von Drohungen ihrer eigenen Oligarchie gepeinigt, aber wenn uns der erste Maschinist verbot, den Fluß zu überqueren, machte ich kehrt und legte mich schlafen. Ich glaubte überhaupt nicht dort zu sein. Und als vom Chefsteward ein Cricketspiel zwischen der *Arcturion*, was der Name unseres Schiffes war, und der *H. M. S. Proteus* vorgeschlagen wurde, war ich mir sicher, nicht dort zu sein. Ich hatte es indes kommen sehen.

Sie fingen damit im Indischen Ozean an.

Ich kam bei acht Glasen von der Wache, und als ich die Kombüse erreichte, wußte ich, daß sie damit anfingen.

Die Matrosen standen im Kreis vor ihrem Logis und wickelten die Stränge von Hievtau auf. Sie waren wie alte Jungfern, dachte ich, die jede der anderen Strickzeug hielten. Dann sah ich, daß sie Cricketbälle machten. Die *Arcturion* führte eine Ersatzschraube mit, die am Einschnitt des Hecks angeschäkelt wurde, und der Kapitän zog Kreidestriche darauf. Ein Dreistab!

Während ich futterte, wußte ich, daß sie damit anfingen, und als ich schließlich rauskam, hatten sie begonnen. Vom Besenschrank bis zu der Ersatzschraube entlang der Außenseite des Brunnendecks war es ungefähr die Länge eines Cricketfelds, und am anderen Ende warf Hersey gerade auf den Dreistab. Er nahm einen langen Anlauf schnurstracks die Niedergangstreppe hinunter und dann warf er. An dem auf der Ersatzschraube mit Kreide gezeichneten Dreistab zitterte Lofty. Er wirbelte mit einem Schlagholz, das ihm der Schreiner gemacht hatte, in der Luft herum. Der Ball wurde an Hersey zurückgegeben. Feldspieler standen auf den Lukendeckeln, auf den Dampfrohrleitungen, inmitten der Wäsche. Jetzt warf Hersey erneut. Lofty hatte danebengeschlagen. Hersey bekam noch einmal den Ball. Einer oder zwei wickelten immer noch Tauststränge auf.

Als mich die Matrosen sahen, fingen sie mir zum Gefallen geziert zu sprechen an. O hör mal, gib schon das vermaledeite Ei weiter – und so fort.

Ich beschloß, daß ich diese Männer haßte, und dann wünschte ich mir ich könnte sie zerdrücken: Sie würden nie was anderes als Zu-kurz-Gekommene sein. Salbungsvolles Gehabe und Kriecherei flossen mitten durch ihre Adern, und selbst jetzt halte ich es aus reinem Groll für notwendig, diese Dinge zu sagen. Den Tonfall eines Arbeiters nachmachend, waren sie sogar noch widerlicher als meine eigene Klasse.

Alte bourgeoise Dienstmädchen mit Häubchen und Besen, das ist es, was englische Matrosen sind.

Ein paar angeschwärzte Heizer standen herum, schauten zu und grinsten wie Nigger. Sie würden nicht mitmachen. Sie waren solidarisch, sie hatten einen Feind, den Chefsteward. Die Matrosen und die anderen waren kleine Judasse, die es mit beiden Seiten nicht verderben wollten. Sie betrogen sich untereinander und waren fähig, einem die Milch aus dem Tee zu klauen. Aber die Heizer waren solide. Wir waren Spitze. Und wir machten wegen des Essens gemeinsam gegen den Chefsteward Front.

Sie hatten angefangen mich aufzuziehen: «Wo ist Heton, Hoxford und Cambridge?» Aber am Ende nahmen sie die Haltung an, Eton, Oxford, Cambridge und das Heizerlogis. Jedenfalls ist er nicht Matrose geworden, und das ist schon was. Das war ihre Haltung.

Ich war ein Kohlenzuträger und arbeitete in der Schicht von zwölf bis vier, auch Herzogswache genannt, und nach einiger Zeit akzeptierten sie mich stillschweigend als einen der Ihren. Ich arbeitete hart und murrte nicht. Ich achtete sie, doch war das für sie keine Frage von hier oder dort. Aber jetzt, da wir zusammenstanden und auf die Matrosen schauten, blickten sie mich versteckt von der Seite an, als hätten sie mich im Verdacht, zum Feind übergelaufen zu sein.

Dann kam der Chefsteward zigarrerauchend aus der Kombüse und machte am oberen Ende der Niedergangstreppe eine gebieterische Pause. Paffend stieg er sie dann langsam hinab.

«Hallo, Jungs, gebt mir einen Schläger.»

Und Lofty reichte dem Chef das Schlagholz.

Bald darauf drosch er die Bälle über das ganze Feld; zwei feuerte er in den Indischen Ozean, und es war ziemlich klar, daß er sich wichtig vorkam. Oh, es war ziemlich klar, daß er dachte, er habe einiges auf dem Kasten.

«Dämliche Matrosen.» Die Heizer sprachen die Worte sehr gedehnt.

In jener Nacht, als ich rauchend das Achterdeck in weichen Pantoffeln auf und ab ging, kam der Chefsteward auf mich zu.

«Sag mal», begann er. «Du spielst doch sicher Cricket. Ich bin jetzt nicht *nur* ein Chefsteward, ja? Ich bin nicht ohne Bildung. Laß mich mal sehen, bist du nicht *der*...»

Plötzlich hatte ich das Gefühl, ich müßte ihm sagen, daß ich es war. Ich sagte ihm, wie es mir in dem Eton-und-Harrow-Spiel ergangen war, wie ich gegen die Australier spielte, daß es nichts gab, was ich nicht über Cricket wüßte. Ich sagte ihm auch, er solle den Mund zuhalten, aber ich hätte wissen müssen, daß man einem Seemann nicht trauen darf.

Erst nachdem er gegangen war, fielen mir all die Dinge ein, die ich ihm hätte sagen sollen.

Er hielt sein Versprechen so lange, wie es ihm paßte, nur so lange, wie es ihm paßte. Inzwischen kamen wir China immer näher.

Und je näher wir kamen, um so weniger glaubte ich daran. Was ich Ihnen vermitteln will, ist, daß es für mich überhaupt nicht China war, es war einfach hier, an dieser Pier. Aber das ist nicht wirklich das, was ich sagen wollte. Worauf ich hinaus will: Das, was nicht war, war China, irgendwo weit weg. Was war, war hier, etwas Kompaktes, Greifbares, Undurchdringliches. Aber vielleicht auch weder das eine noch das andere.

Sehen Sie, ich hatte mich hinter der Barriere eines Lebens auf See verschlissen, hinter einer Barriere aus Zeit, so daß ich, wenn ich an Land ging, nur wußte, es war *hier*. Selbst wenn ich nach ein paar Gläsern den Kopf hob und um mich schaute, vergaß ich immer, daß ich in China war. Ich war ‹hier›. Verstehen Sie das?

Das erste, was ich erfaßte, als ich dort ankam, war das Ausmaß dieses Irrtums. Ich will nicht sagen, daß ich ernüchtert war, das möchte ich klarstellen. Ich empfand nicht mit Conrad, ‹daß das Ersehnte schon vorbeigezogen, unerkannt in einem Seufzer, in einem Aufblitzen dahingegangen war mit der Jugend, mit der Kraft, mit den romantischen Illusionen›. Zu diesem Seufzer, diesem Aufblitzen kam es nie. Es gab keinen Augenblick, der für mich den Osten kristallisierte. Dieser Augenblick trat nicht ein. Was geschah, war anders. Ich hatte mich auf eine Sache gefreut, und ich nannte sie China, doch als ich China erreichte, freute ich mich von genau der gleichen Warte immer noch darauf. Vielleicht war China gar nicht dort, existierte nicht für mich, so wie ich nicht für China existieren konnte.

Und ich begann sogar meine Arbeit für unwirklich zu halten, obgleich es immer eine Stimme gab, die sagte: ‹Mit einem Roststab in deinen Händen wirst du früh genug erfassen, wie wirklich sie ist.›

Dann waren wir längsseit, und nicht viel später rief mich der Kapitän zu sich.

«Wir haben ein Cricketspiel mit der *H. M. S. Proteus* ausgemacht, und wir wollen es ihnen zeigen», sagte er.

«Jawohl», sagte der Chefsteward, «wir haben ein Cricketspiel ausgemacht, und wir wollen diesen schlauen Blaujacken zeigen, was wir von ihnen halten.»

«Und du wirst mitspielen», sagte der Kapitän.

«Jawohl», sagte der Chef. «Und jetzt mußt du dich ein bißchen schniegeln, dich ein bißchen fesch machen, weißt du. Du kannst nicht mit einem alten Handtuch um den Hals spielen. Was sollen die sonst von uns denken?»

«Richtig», sagte der Kapitän. «Das letzte Mal, als du mit einem Handtuch um den Hals an Land gingst, warst du eine richtige Schande für das Schiff.»

«Du warst der einzige Mann, der ohne Krawatte an Land ging», sagte der Chef.

«Ich wollte schwimmen gehen», begann ich. Aber was hatte es überhaupt für einen Sinn, mit diesen alten Waschweibern zu sprechen? Und ich war höchst amüsiert, einmal mehr in das korrupte Herz des Lebens, das ich hinter mir gelassen hatte, hinabzuschauen; es kam mir äußerst komisch vor, daß meine Existenz sich überhaupt nicht geändert hatte und daß ich, wo immer ich war, bewertet, aufgespürt wurde durch meinesgleichen.

Kurz danach kam der Chefsteward zur Back hinunter mit jeder Menge Phantasiekleider aus weißem Segeltuch, die er irgendwo ausgegraben hatte, und ziemlich schnell fand ich welche von der Vorhangstange in meiner Koje baumeln. Während ich mich umzog, grinsten die Heizer.

«Jetzt wird es für dich wie zu Hause, Jimmy.»

Kein anderer Heizer war für das Spiel ausgewählt worden, und innerlich kochte ich.

Draußen sagte der Chef: «Wir werden diesen Blaujacken zeigen, in was für einem ordentlichen, respektablen Aufzug wir antreten können.»

Dann schlenderten wir die Pier entlang zum Cricketfeld, das zwischen einem Haufen Schlacke und einem Kohlendepot lag. Ein Flußnebel rollte trübe hinüber zu der Stadt, aber wo wir hingingen, war die Luft klar, abgesehen von einem feinen Kohlenregen, der uns von den Halden ins Gesicht nieselte und unsere weißen Hosen mit Staub sprenkelte. Nun könnte man aus dieser Sache wirklich eine hübsche Charakterstudie machen. Da war der gute alte Lofty und Hersey und Sparks und Tubby und die drei Maate und der Doktor, und von jedem von ihnen könnte man eine hübsche Beschreibung liefern. Bedauerlicherweise kann ich aber keine Unterschiede machen, vielleicht liegt es an mir, aber sie sehen mir alle gleich aus, diese Seeleute: sie waren alle Hurensöhne, und jetzt, nach so langer Zeit, kann ich sie, wenn überhaupt, nur durch diesen feuchten Nebel sehen, der damals war. Also werde ich Sie damit nicht behelligen. Sie sahen nur einfach verdammt komisch aus, wie sie die Pier hinuntertrotteten. Und ich muß am allerkomischsten ausgesehen haben, wie ich mit ihnen entlangtrottete, wir alle in den weißen Phantasiekostümen, die uns der Steward gegeben hatte. Einige Hosen viel zu kurz und einige viel zu lang, was uns mehr wie ein Haufen chinesischer Kulis als ein ordentlicher, respektabler Aufzug aussehen ließ.

Dann kamen die Blaujacken aus der *H. M. S. Proteus*, und sie hatten sich keinen Deut um irgendwelche Weißtöne geschert. Manche trugen Khakishorts, manche Kattunzeug, andere Unterhemden mit Khakihosen. Und jetzt, nach so langer Zeit, sehe ich sie nur durch eine Art Nebel. Ich kann nicht einmal sagen: Nun, da war ein Bursche, der war so. Verdammt, es waren einfach Blaujacken, irregeführt, ausgebeutet, einfältig, hübsch oder häßlich wie wir übrigen.

Ihr Kapitän und der Chef warfen eine Münze. Der Chefsteward gewann.

Der Kapitän der *Arcturion*, der nicht spielte, dem man aber nachsagte, er sei auf Cricket ‹scharf›, stand hinter einem Magazin und verfolgte das Spiel mit äußerst kritischer Miene.

«Es war mein Ruf», lachte ich. «Sie hätten laufen müssen.»

«Ich dachte, du hast gesagt, du könntest Cricket spielen», murrte der Chef.

«Ich habe gerufen. Es war an Ihnen zu laufen», lachte ich.

«Lach nicht», sagte der Chef.

Aber ich lachte ordentlich weiter. Dann tauchte der Kapitän auf, und er schien ebenfalls verdammt wütend zu sein.

«Über was lachst du? Ich dachte, du hast gesagt, du könntest Cricket spielen», sagte er. «Und du hast unseren besten Mann ausgeschaltet und dich selbst ausmachen lassen. Und ich dachte, du hast gesagt...»

«Heizer spielen nicht Cricket», sagte ich kurz und ging von der Pier weg.

Einmal schaute ich zurück. Lofty legte sich mit einem Querschlag mächtig ins Zeug; er verteidigte die Ehre des Brunnendecks. Dann strömte der Regen herab und machte dem Spiel ein Ende. Es war die Zeit des Monsuns.

Ich rannte zur *Arcturion* zurück und wechselte schnell die Kleider.

Am Eingang beobachtete ich, wie die anderen traurig in die Back zurückschlurften. Die Hosen klebten an ihnen wie nasse Lumpen. Dum! Dum! Dum! Weitere Heizer gesellten sich zu mir am Eingang, und wir sahen den Schauermännern zu, wie sie unsere Ladung löschten, Aufklärungsflugzeuge, einen Bomber, ein Kampfflugzeug, Maschinengewehre, Flakgeschütze, 25-Pfund-Bomben, Munition. Ich glaubte an all das nicht. Ich war nicht dort.

Und das ist es, was ich Sie noch einmal fragen wollte. Haben Sie nicht schon mal das Gefühl gehabt, daß Sie sich so gut kennen, daß der Boden, den Sie betreten, Ihr Boden ist: Es ist niemals China oder Sibirien oder England oder sonstwo. Es ist immer Sie. Es ist immer die Erde von Ihnen, das Holz, das Eisen von Ihnen, der Asphalt, auf den Sie den Fuß setzen, ist der Asphalt von Ihnen, sei es auf dem Broadway oder dem Chien Mon.

Und Ihren Horizont tragen Sie in Ihrer Tasche, wo immer Sie sind.

Seltsamer Trost,
den der Beruf gewährt

Sigbjørn Wilderness, ein amerikanischer
Schriftsteller, der dank eines Guggenheim-Stipendiums in Rom weilte, blieb oberhalb des
Blumenstandes auf den Stufen stehen und
schrieb, dann und wann einen Blick auf das
Haus vor ihm werfend, in ein schwarzes Notizbuch:

> Il poeta inglese Giovanni Keats mente
> maravigliosa quanto precoce mori in questa casa il 24 Febraio 1821 nel ventiseesimo anno dell' eta sua.

In einem plötzlichen Anfall von Nervosität
blickte er nicht nur auf das Haus, sondern
auch hinter sich auf die Kirche Trinità dei
Monti, auf die Frau am Blumenstand und die
Römer, die auf den Stufen hinauf- und hinab-
oder unten auf der Piazza di Spagna vorübergingen (denn obgleich der Krieg schon mehrere Jahre zurücklag, fürchtete er, für einen
Spion gehalten zu werden); dann zeichnete er,
so gut er konnte, die Lyra zwischen der italie-

nischen Inschrift und deren englischer Über-
setzung an der Hauswand (am Grabmal des
Dichters befand sich eine ähnliche):

Unter die Leier setzte er flink die Worte:

In diesem Hause starb am 24. Februar
1821 der junge englische Dichter John
Keats im Alter von 26 Jahren.

Dies getan, steckte er Notizbuch und Blei-
stift ein und blickte sich wieder um, diesmal
bedeutsamer und eindringlicher, ja, mit einem
ausgesprochen unbehaglichen Blick, der das
Gesehene gar nicht aufnahm, sondern sagen
sollte: «Es ist mein gutes Recht, dies zu tun»,
oder: «Wenn Sie mich gesehen haben, nun
gut: ich *bin* so etwas wie ein Detektiv, vielleicht sogar so etwas wie ein Maler.» Nachdem er die letzten Stufen hinabgestiegen war,
sah er sich noch einmal wütend um, dann trat
er mit einem erleichterten Seufzer wie jemand,
der sich ins Bett sinken läßt, in das tröstliche
Dunkel von Keats' Haus.

Hier erklomm er die schmale Treppe, und gleich darauf stand er vor einem Glaskasten, dessen erläuternder Text folgendermaßen lautete:

Reste der aromatischen Gummibonbons, die Trelawny beim Verbrennen des Leichnams von Shelley benutzte.

Er hatte sein Notizbuch schon wieder gezückt – hier würde wohl niemand etwas dagegen einzuwenden haben – und schrieb auch diese Worte ab, unterließ allerdings jeglichen Kommentar zu den Gummibonbons selbst, die er eigentlich kaum wahrnahm, und so war es mit dem ganzen Haus: da war diese Treppe, da war ein Balkon, es war dunkel, es gab viele Bilder und diese Glaskästen – und es war ein bißchen wie in einer Bibliothek (in der er freilich keine Bücher von sich entdeckte); dies etwa war die Summe seiner nicht aufgezeichneten Wahrnehmungen. Von den aromatischen Gummibonbons ging Sigbjørn weiter zum nächsten Glaskasten mit Shelleys Trauschein, den er ebenfalls kopierte, in hastigen Schriftzügen, da seine Augen sich etwas an das Dämmerlicht gewöhnt hatten:

Percy Bysshe Shelley, Witwer, *aus* der Gemeinde Saint Mildred, Bread Street, London, *und* Mary Wollstonecraft Godwin, ledig, minderjährig, *aus* der Stadt Bath, wurden *mit* behördlicher Genehmigung und *Einwilligung* des Brautvaters William Godwin heute am dreißigsten *Tage des Dezember im Jahre eintausendachthundertundsechzehn in dieser Kirche getraut.* Beglaubigt Mr. Heydon, Hilfsgeistlicher. Wir bestätigen den Vollzug unserer Eheschließung:

PERCY BYSSHE SHELLEY
MARY WOLLSTONE-
CRAFT GODWIN

In Gegenwart von: WILLIAM GODWIN
M. J. GODWIN

Darunter schrieb Sigbjørn die geheimnisvollen Worte:

Nemesis. Heirat des ertrunkenen phönizischen Seemannes. Überhaupt ein bißchen sonderbar hier. Traurig – komme mir beim Besichtigen solcher Dinge wie ein Schwein vor.

Dann ging er rasch weiter – freilich nicht so rasch, daß er nicht Zeit gehabt hätte, sich mit einem leisen schmerzlichen Stich zu fragen, womit es zu rechtfertigen sei, daß die Regale über ihm nicht eines seiner Werke, wohl aber *In Memoriam*, *Im Westen nichts Neues*, *Green Light* und *Handbuch der westlichen Vogelwelt* enthielten. Im nächsten Glaskasten fand er einen gerahmten unvollendeten Brief, offenbar von Keats' Freund Severn, den Sigbjørn gleich den vorigen Dokumenten abschrieb:

Sehr geehrter Herr,
Keats' Zustand hat sich etwas verschlimmert – zumindest sein Geisteszustand – und zwar sehr, doch haben die Blutungen aufgehört, seine Verdauung ist besser, und bis auf den Husten scheint er sich auf dem Wege der Besserung zu befinden, das heißt, in körperlicher Beziehung – aber seine Seele ist noch umschattet von dem drohenden Gespenst der Auszehrung, das alles in Jammer und Verzweiflung verwandelt – er will kein Wort von Weiterleben hören – ja, ich scheine sogar sein Vertrauen zu verlieren, wenn ich solcherlei Hoffnungen bei ihm zu wecken suche (auch die folgenden, von

Severn gestrichenen Zeilen schrieb Sigbjørn skrupellos nieder: *denn seine Kenntnis der inneren Anatomie setzt ihn in den Stand, jede Veränderung genau einzuschätzen, und vermehrt seine Qualen beträchtlich*), er will seine Zukunftsaussichten nicht günstig beurteilen – er sagt, die fortgesetzte Aufbietung seiner Phantasie habe ihn an den Rand des Grabes gebracht, und sollte er genesen, so werde er keine Zeile mehr schreiben – von seinen guten Freunden in England will er nichts hören bis auf das, was sie getan haben – und das belastet ihn noch mehr –, aber von den großen Hoffnungen, die sie auf ihn, seinen sicheren Erfolg, seine Erfahrung setzen, will er kein Wort hören – und keinerlei Hoffnung, die seiner lebhaften Phantasie Nahrung geben könnte –

Da der Brief hier abbrach, ging Sigbjørn, Notizbuch in der Hand, langsam auf Zehenspitzen zu einem anderen Glaskasten mit einem anderen Brief von Severn, und schrieb:

Mein lieber Brown – Er ist verschieden – er starb ganz leicht und friedlich – als schliefe er ein. Am 23ten um halb fünf

spürte er das nahende Ende. «Severn –
heb mich auf, denn ich sterbe – ich werde
leicht sterben – fürchte dich nicht, ich
danke Gott, daß es soweit ist.» Ich nahm
ihn in meine Arme, und der Schleim in seiner Kehle schien zu brodeln. Das steigerte
sich bis 11 Uhr nachts, dann sank er allmählich so ruhig in den Tod, daß ich ihn
noch schlafend wähnte – Aber ich kann
jetzt nichts weiter sagen. Meine Kraft ist
zu Ende, ich bin zusammengebrochen.
Man darf mich nicht allein lassen. Ich
habe neun Tage nicht geschlafen – all die
Tage seither. Am Samstag kam ein Herr,
um Abgüsse von seiner Hand und seinem
Fuß zu machen. Am Donnerstag wurde
die Leiche geöffnet. Die Lunge war durch
und durch zersetzt. Die Ärzte wollten
nicht –

Sehr bewegt überlas Sigbjørn diese Ab-
schrift, dann schrieb er darunter:

  *Am Samstag kam ein Herr, um Ab-
  güsse von seiner Hand und seinem Fuß zu
  machen* – das ist für mich die unheimlichste Zeile. Wer ist dieser Herr?

Vor Keats' Haus blieb Wilderness nicht stehen, sondern ging, ohne nach rechts oder links, auch nicht zum American Express hinüber, zu blicken, bis zu einer Bar, in die er eintrat, ohne sich vorher ihren Namen zu notieren. Ihm war, als wäre er mit einer einzigen Bewegung, mit einem langen Schritt von Keats' Haus zu dieser Bar gegangen – teilweise, um sich nicht in das Gästebuch eintragen zu müssen. Sigbjørn Wilderness – klang dieser Name nicht wie eine Glockenboje oder – wohlklingender – wie ein Feuerschiff auf dem Atlantik, das an einem Riff zerschellt? Dennoch haßte er es, ihn niederzuschreiben (vielleicht aber sah er ihn gern gedruckt?) – obwohl sein Name, wie vieles andere, wenig Realität für ihn besaß, wenn er ihn nicht geschrieben vor sich sah. Ohne sich mit der Frage aufzuhalten, warum er nicht unter einem anderen Namen schrieb, wenn dieser ihm so ärgerlich war – etwa unter seinem zweiten Vornamen Henry oder dem Mädchennamen seiner Mutter, nämlich Sanderson-Smith –, setzte er sich in die verschwiegenste Nische der Bar, die etwas von einer unterirdischen Grotte an sich hatte, und trank rasch hintereinander zwei Grappas. Beim dritten regten sich in ihm einige der Gefühle, die schon während der Besichtigung von Keats' Haus zu erwarten gewesen wären. Die verwunderliche Tatsache, daß sich dort Andenken an Shelley befanden, kam ihm erst jetzt voll zum Bewußtsein; freilich war das auch nicht erstaunlicher, als daß man Shelley überhaupt hier in Rom begraben hatte, während sein Schädel um ein Haar als Trinkpokal in Byrons Besitz gekommen wäre und sein Herz – von Trelawny den Flammen entrissen, wie er bei Proust gelesen zu haben glaubte – in England beigesetzt war. (Die Inschrift auf seinem Grabstein – ein Stückchen aus Ariels Lied – war jedenfalls eine gewisse Vorbereitung auf das Kostbare, Seltsame.) Sigbjørn rührte die Ritterlichkeit dieser Italiener, die, wie es hieß, während des Krieges unter erheblichen Gefahren dieses Haus mit allem, was darin war, vor den Deutschen bewahrt hatten. Jetzt allmählich sah er das Haus auch deutlicher vor sich, wenn auch bestimmt nicht so, wie es war, und er zog sein Notizbuch wieder heraus, um die schon vorhandenen Notizen durch diese retrospektiven Eindrücke zu ergänzen.

«Mamertinus-Gefängnis», las er... Er hatte das Buch an der falschen Stelle aufgeschlagen, bei den Bemerkungen über seinen gestrigen Besuch des historischen Verlieses; fasziniert von diesen düsteren Aufzeichnungen, las er weiter und empfand dabei die Atmosphäre des Grauens in den feuchtkalten, engen unterirdischen Zellen viel stärker als gestern an Ort und Stelle.

MAMERTINUS-GEFÄNGNIS (stand darüber)
Das untere ist das eigentliche Gefängnis,
der Mamertinus-Kerker, das Staatsgefängnis des alten Rom.

Der untere Kerker, das Tullianum, ist wahrscheinlich das älteste Bauwerk Roms. Das Gefängnis wurde zur Einkerkerung von Missetätern und Staatsfeinden benutzt. In der unteren Zelle ist der Brunnen zu sehen, wo nach der Überlieferung der Apostel Petrus kraft eines Wunders Wasser aus dem Stein geschlagen hat, um die Kerkermeister Processus und Martinianus zu taufen. Opfer: Politiker. Pontius, König der Samniten, gestorben 290 v. Chr. Giurgurath (Jugurtha), Aristobulus, Vercingetorix. – Die heiligen Märtyrer Peter und Paul. Apostel, die unter der Regierung von Nero eingekerkert wurden. – Processus, Abondius *und viele andere unbekannte* wurden

decapitato
suppliziato (erstickt)
strangolato
morto per fame.

Vercingetorix, der König der Gallier, wurde bestimmt 49 v. Chr. *strangolato*, und Jugurtha, König von Numidien, starb 104 v. Chr. den Hungertod.

Das untere ist das eigentliche Gefängnis – warum hatte er das unterstrichen? überlegte Sigbjørn. Er bestellte noch einen Grappa, und während er darauf wartete, wandte er sich wieder seinem Notizbuch zu, wo ihm unter seinen Bemerkungen über das Mamertinus-Gefängnis folgende Notiz – er erinnerte sich jetzt, daß er sie dort im Verlies hinzugesetzt hatte – in die Augen sprang:

Gogols Haus suchen – wo er einen Teil der *Toten Seelen* geschrieben hat – 1838. Wo starb Vielgorsky? «Sie achten meiner nicht, sie sehen mich nicht, sie hören mich nicht», schrieb Gogol. «Was habe ich ihnen getan? Warum quälen Sie mich? Was wollen sie von mir Armem? Was kann ich ihnen geben? Ich habe nichts. Meine Kraft ist dahin. Ich kann all dies nicht ertragen.» *Suppliziato*. *Strangolato*. Der sterbende Gogol in dem wunderbar-schrecklichen Buch von Nabokov: «Man konnte seine Wirbelsäule durch seinen Leib hindurch fühlen.» An seiner Nase hängen Blutegel: «Nimm sie ab, tu sie weg…» Henrik Ibsen, Thomas Mann, dito Bruder: Buddenbrooks und Pippo Spano. Ein – wo lebte er? ließ sich von der Sonne verbrennen? Vielleicht glücklich hier. Prosper Mérimée und Schiller. *Suppliziato*. Fitzgerald im Forum. Eliot im Kolosseum?

Und darunter die rätselhafte Zeile:

Und viele andere.

Und darunter:

Vielleicht Maxim Gorki auch. Das ist komisch. Begegnung zwischen Wolga-schiffer und heiligem Fischer.

Was war komisch? Während Sigbjørn bis zu Keats' Haus weiterblätterte und dabei über-legte, was er gemeint haben mochte – abgese-hen davon, daß Gorki wie die meisten jener anderen Berühmtheiten irgendwann einmal in Rom gelebt hatte, wenn auch nicht im Mamertinus-Gefängnis, das er freilich mit einem anderen Teil seiner Seele sehr gut kannte –, merkte er, daß er auf Grund der eigenartigen Stichometrie seiner Bemerkungen, die er wie eine sonderbare Art von Gedichten niedergeschrieben hatte, vorzeitig am Ende seines Notizbuches angekommen war.

Am Samstag kam ein Herr, um Abgüsse von seiner Hand und seinem Fuß zu machen – das ist für mich die unheimlichste Zeile – wer ist dieser Herr?

Mit diesen Worten schloß das Notizbuch.

Das hieß nicht, daß darin kein Platz mehr war, denn – so reflektierte er etwas onkelhaft – seine Notizbücher hatten genau wie seine Kerzen die Tendenz, sich von beiden Enden her zu verzehren; natürlich, auf den ersten Seiten stand auch etwas, und zwar verkehrt herum. Während er das Büchlein lächelnd umdrehte, vergaß er, daß er eine freie Seite suchen wollte, denn er erkannte sofort die Notizen, die er vor zwei Jahren in Amerika während eines sehr angenehmen Aufenthaltes in Richmond, Virginia, gemacht hatte. Amüsiert begann er zu lesen, entzückt von der Vorstellung, sich in einer italienischen Bar durch seine Aufzeichnungen in die Südstaaten zurückversetzen zu lassen. Er hatte aus diesen Notizen nichts gemacht, hatte gar nichts mehr von ihrer Existenz gewußt, und es war nicht immer leicht, sich die Bilder zu vergegenwärtigen, die sie heraufbeschworen:

Der wunderschöne, abfallende Platz in Richmond und das melancholische Silhouettenmuster der entlaubten Bäume.

An einer Wand: *Du dreckiger, stinkiger, verkommener Gauner aus Boston, North End, Mass. Krummer Hund!*

Sigbjørn lachte vor sich hin. Jetzt erinnerte er sich deutlich an den bitterkalten Wintertag in Richmond, an das theaterhafte Gerichtsgebäude, zu dem er auf steilen Parkwegen hatte hinaufklettern müssen, und an das sarkastische Bekenntnis zur Solidarität mit dem Norden an der Wand der Toilette für (weiße) Herren. Lächelnd las er weiter:

In der Gedenkstätte für Poe merkwürdig gut erhaltene Zeitungsausschnitte: WÜRDIGUNG VON POES WERKEN VOR

47

VOLLEM HAUSE. *Universitätsstudent, der durch Selbstmord endete, in Wytherville beigesetzt.*

Ja, ja, und jetzt erinnerte er sich auch an Poes Haus – oder eines von Poes Häusern –, das bei Sonnenuntergang unter einem großen, dunklen Schattenfittich lag, und an die liebe alte Dame, die es betreute und ihm die Zeitungsausschnitte gezeigt und leise gesagt hatte: «Sie sehen also, *wir* glauben, daß nicht alles wahr sein kann, was über seine Trinkerei erzählt wird.» Er las weiter:

Gegenüber von dem Craigschen Haus, wo Poes Helen gewohnt hat, quer über Fassade, Fenster, Veranda der Wohnung, aus der – wenn ich nicht irre – E. A. P. die Dame mit der Achatlampe beobachtet haben muß, die Aufschriften: Bei Kopfweh und Neuralgie: A. B. C. – ALKOHOL NUR FLASCHENWEISE – Ein Pepsi gefällig? – Trinken Sie Königskronen-Cola! – Dr. Swells Root Beer – «Möbliertes Zimmer zu vermieten» – hat Poe wirklich hier gewohnt? Er muß wohl, denn nur von hier aus kann er Psyche erblickt haben. – Aber besser den Alkohol flaschenweise als gar keinen. Dort, wo er jetzt wohnt, gibt es solche Einschränkungen nicht. Oder vielleicht darum «Möbliertes Zimmer zu vermieten»?

(Notiz: Freitag Sprechendes Pferd befragen.)

– Gib mir die Freiheit, oder gib mir den Tod (las Sigbjørn jetzt). Auf dem Friedhof Patrick Henrys Grab; ein Schild: Rauchen in der Nähe der Kirche verboten! Dann:

An der Tür von Robert Lees Haus:

Bitte am Glockenzug ziehen!

– Im Valentine-Museum Poe-Andenken –

Sigbjørn hielt inne. Jetzt sah er jenen Wintertag noch deutlicher vor sich. Robert E. Lees Haus lag natürlich tief unterhalb des Gerichtsgebäudes, weitab von Patrick Henry und dem Craigschen Haus und der anderen Poe-Gedenkstätte, und von dort zum Valentine-Museum wäre ein tüchtiger Fußmarsch gewesen, auch wenn Richmond – eine ausgesprochen griechisch anmutende Stadt, nicht nur in architektonischer Hinsicht, sondern auch wegen ihres gebirgigen Terrains, das einer griechischen Bergziege angemessen schien – nicht aus so steilen Straßen bestanden hätte, daß es weh tat zu denken, wie Poe sich da hinaufgequält haben mußte. Sigbjørns Aufzeichnungen gingen chronologisch etwas durcheinander: als er zum Valentine-Museum ging, mußte es Vormittag gewesen sein, nicht Sonnenuntergang wie in dem anderen Haus mit der alten Dame. Er sah wieder Lees Haus und besann sich undeutlich auf die Schönheit der ganzen frosterstarrten Stadt draußen, dann das Bild eines weißen Südstaatenhauses neben einem kolossalen Fabrikschornstein aus rotem Backstein, tief unten ein Stück alte Kopfsteinstraße und eine einsame Gestalt, die, als durchschritte sie drei Jahrhunderte, vom Haus über einen öden Platz zu den Eisenbahnschienen und dem erwähnten Schornstein der Bone Dry Fertilizer Company hinüberging. Die Aufschrift an Lees Haus «Bitte am Glockenzug ziehen!» schien auf ihn eine gewisse feierlich-musikalische Wirkung gehabt zu haben, dennoch hatte sie ihn – nach der Reihenfolge seiner Notizen – nicht in Lees Haus, sondern ins Poe-Museum geführt, das Sigbjørn nun in der Erinnerung wieder betrat.

Im Valentine-Museum Poe-Andenken (las er noch einmal)

Bitte
Nicht rauchen
Nicht herumlaufen
Wände und Ausstellungsgegenstände
nicht berühren
Die Beachtung dieser Vorschriften sichert
Ihnen und anderen die ungestörte Besich-
tigung dieses Museums.
– Blauseidener Rock und Weste eines
Zahnarztes von George Washington, Ge-
schenk der Damen Boykin.

Sigbjørn schloß die Augen, in seinem Kopf
gerieten die Gummibonbons von Shelleys Ver-
brennung und das Geschenk der Damen Boykin für einen Augenblick hoffnungslos durcheinander, dann wandte er sich den folgenden
Zeilen zu. Es waren Poes eigene Worte, Bruchstücke von Briefen, die vermutlich einmal in
einsamer Qual und Verzweiflung geschrieben
waren, jetzt aber in «ungestörter» Muße von
jedem durchgelesen werden konnten, der weder rauchte oder herumlief noch die Vitrine be-
rührte, in der sie (wie auf der anderen Seite des
Erdballs die Gummibonbons) aufbewahrt
wurden. Er las:

Auszug aus einem Brief von Poe an seinen Stiefvater nach seiner Entlassung von West Point. 21. Feb. 1831.

«Es wird jedoch das letzte Mal sein, daß ich irgendeinen Menschen behellige – ich fühle, daß ich auf einem Krankenbett liege, von dem ich nie wieder aufstehen werde.»

Mit plötzlicher Wehmut rechnete Sigbjørn aus, daß Poe diese Worte fast genau sieben Jahre nach Keats' Tod geschrieben haben mußte; im übrigen war er – entgegen seiner Voraussage – sehr wohl wieder von seinem Krankenbett aufgestanden und hatte – dank Baudelaire – der europäischen Literatur eine ganz neue Bahn gewiesen, jawohl, und er hatte mehrere Generationen lang die Menschen nicht nur behelligt, sondern mit seinen auserlesenen Werken zu Tode erschreckt – mit Werken wie «Die Maske des roten Todes», «Die Grube und das Pendel» und «Der Sturz in den Maelstrom», ganz zu schweigen von der Wirkung seiner gedrängten, prophetischen Prosadichtung *Eureka*.

«Ich kann nicht schildern, wie abscheulich mein *Ohr* war – ich sieche von Tag zu

Tag dahin, auch ohne die letzte Krank-
heit, die mir den Rest gegeben hat.»

Sigbjørn trank seinen Grappa aus und
bestellte noch einen. Wirklich sehr merkwürdig die Empfindungen, die das Lesen dieser
Aufzeichnungen hervorrief. Erstens das Bewußtsein von sich selbst, der lesend in dieser
römischen Bar saß, dann das Gefühl im Valentine-Museum in Richmond, Virginia, diese
Briefe unter Glas zu entziffern und Bruchstücke
davon zu kopieren, und schließlich das Bild des
armen Poe, der irgendwo saß und diese düsteren Briefe schrieb. Außerdem sah er auch Poes
Stiefvater, der – vermutlich sehr flüchtig – manche dieser Briefe las, sie aber feierlich für die
sogenannte Nachwelt aufbewahrte, diese
Briefe, die – was für Mängel sie sonst auch haben mochten – bestimmt als Privatbriefe gemeint waren. Aber waren sie das wirklich?
Selbst hier, in äußerster Not, mußte Poe das
Gefühl gehabt haben, daß er die «E. A. Poe»
betitelte Geschichte zu Papier brachte; selbst in
diesem Augenblick, dem Inbegriff größten
Elends und endgültiger, wenn auch bewußt
herbeigeführter Schande, hatte er das Geschrie-
bene vielleicht mit einem gewissen Widerstre-
ben abgeschickt, als dächte er: verdammt noch

mal, manches davon könnte ich verwenden, es ist vielleicht nicht gerade sensationell, aber mindestens zu gut für meinen Stiefvater – die reine Verschwendung. Mit manchen von Keats' Briefen war es nicht anders. Und doch war es sehr seltsam, wie stark man zwischen diesen Vitrinen, in diesen Museen von den vergilbten Zeugnissen vergangener Seelenqual bedrängt und eingekreist wurde. Wo waren Poes Astrolabium, Keats' Rotweinkrug, Shelleys «Nützliche Knoten für den Segler»? Gewiß, die aromatischen Gummibonbons hatte Shelley selbst vielleicht nicht wahrgenommen, aber sogar diese weithergeholten schönen Belanglosigkeiten, Geschenk der Damen Boykin, schienen nicht ohne einen Anflug von vergangenem Leid, zumindest für George Washington.

Baltimore, 12. April 1833
Ich gehe zugrunde – gehe schlechthin zugrunde, weil mir niemand hilft. Und doch bin ich nicht ohne Wert – auch bin ich mir keines Vergehens gegen die menschliche Gesellschaft bewußt, für das ich ein so schweres Los verdient hätte. Um Gottes willen, hab Mitleid mit mir und rette mich vor der Vernichtung.

E. A. POE

O Gott, dachte Sigbjørn. Und doch hatte Poe noch sechzehn Jahre weitergelebt. Er war mit vierzig Jahren in Baltimore gestorben. Bisher war Sigbjørn um neun Jahre hinter ihm zurück, und mit ein bißchen Glück dürfte er leicht gewinnen. Vielleicht, wenn Poe ein bißchen länger ausgehalten hätte – vielleicht, wenn Keats – er blätterte hastig weiter, aber sein Blick fiel wieder auf den Brief von Severn:

> Sehr geehrter Herr,
> Keats' Zustand hat sich etwas verschlimmert – zumindest sein Geisteszustand –, und zwar sehr, doch haben die Blutungen aufgehört... aber seine Seele ist noch umschattet... *denn seine Kenntnis der inneren Anatomie... vermehrt seine Qualen beträchtlich.*

Suppliziato, strangolato, dachte er... *Das untere ist das eigentliche Gefängnis. Und viele andere.* Auch bin ich mir keines Vergehens gegen die menschliche Gesellschaft bewußt. Nein, Bruder, kein großes Vergehen. Mochte die Gesellschaft dich mit Ehren überhäufen, mochte sie sogar die Andenken an dich zusammen mit der Weste von George Washingtons

Zahnarzt aufbewahren – in ihrem Herzen schrie sie doch: *Du dreckiger, stinkiger, verkommener Gauner aus Boston, North End, Mass. Krummer Hund*... «Am Samstag kam ein Herr, um Abgüsse von seiner Hand und seinem Fuß zu machen...» Hatte das jemand getan, fragte sich Sigbjørn – während er seinen neuen Grappa kostete und sich plötzlich seines dahinschmelzenden Guggenheim-Geldes bewußt wurde –, hatte jemand Vergleiche zwischen Keats und Poe angestellt? Aber in welchem Sinne Keats mit Poe vergleichen, was und in welchem Sinne? Was wollte er denn vergleichen? Nicht die Ästhetik der beiden Dichter, auch nicht das Scheitern von *Hyperion* in Beziehung zu Poes Auffassung des kurzen Gedichts, auch nicht das philosophische Streben des einen mit der philosophischen Leistung des anderen. Oder, schärfer formuliert: Die Begabung zum Negativen im Gegensatz zum negativen Werk? Oder wollte er lediglich beider Melancholie, ihr Trinken und ihren Katzenjammer in Beziehung setzen? Ihre inneren Werte – die der Kommentator so gefällig zu vergessen pflegt! –, ihren Charakter in dem hohen Sinne, wie Conrad ihn zuweilen verstand? Denn waren sie nicht im Grunde ihrer Seelen wie glücklose Schiffsherren, entschlossen, ihre lecken Schiffe mit kostbarer Ladung um jeden Preis irgendwie in den Hafen zu bringen, immer in höchster Eile, trotz unablässiger Stürme, nur selten nachlassender Taifune? Oder ging es ihm nur darum, zwischen beiden Gedenkstätten düstere Analogien zu finden? Man konnte – wieder bei Baudelaire angefangen – darüber nachdenken, was der französische Regisseur Epstein – der *La Chute de la Maison Usher* so glänzend verfilmt hatte, daß Poe selbst davon entzückt gewesen wäre – vielleicht aus *The Eve of St. Agnes: And they are gone!* gemacht hätte… «Um Gottes willen, hab Mitleid mit mir und rette mich vor der Vernichtung!»

Aha, jetzt hatte er es wohl: deutete nicht die Bewahrung solcher Andenken – auch abgesehen vom Aktenschrank des bösen Stiefvaters, der noch etwas herausschlagen wollte – auf eine versteckte Rache, weniger für den Nonkonformismus des Dichters als vielmehr für das Monopol seiner zauberwirkenden Wortgewalt? Auf der einen Seite konnte er sein überirdisches «Ulalume» und sein zauberhaftes «An eine Nachtigall» schreiben (deswegen vielleicht das *Handbuch der westlichen Vogelwelt!*), auf der anderen Seite besaß er die Fähigkeit, ganz schlicht zu sagen: «Ich gehe zugrunde... Um Gottes willen, hab Mitleid mit mir...» Na also, schließlich ist er genau wie andere Leute... Was heißt das?... Im Gegenteil: zeigte sich vielleicht eine tragische Herablassung in Bemerkungen wie Flauberts oft zitiertem und von Kafka – Kaf – und anderen verewigten *«Ils sont dans le vrai»*, die sich an die kinderkriegende, rosenwangige, liebreizende Menschheit im allgemeinen wenden, zeugten sie vielleicht von tragischer Herablassung, ja sogar umgekehrter Selbstgefälligkeit, die sie weiß Gott nicht nötig hatten? Und Flaub – Warum sollten sie irgendwie mehr *dans le vrai* sein als der Künstler? Dichter sind meistens sehr ähnlich wie andere Leute, nur sind manche Dichter noch ähnlicher als andere, wie George Orwell gesagt haben könnte. George Or – Und doch, welchen modernen Dichter würde man nach seinem Tode auf einem nicht zurückerstatteten, nicht verbrannten, sondern unter Glas aufbewahrten «Um Christi willen, hilf mir!» ertappen (obwohl sie ihr Bestes tun würden, um ihn zu ertappen)? Es war eine Binsenwahrheit, daß Dichter heutzutage nicht nur so waren wie andere Leute, sondern auch so aussahen. Sie kleideten sich keineswegs wie angebliche Nonkonformisten, sondern – wie die Tageszeitungen, ja, noch

schändlicher, die Schriftsteller selbst bei jeder
Gelegenheit triumphierend betonten – wie
Bankbeamte, die sie auch oft genug waren,
wenn sie sich nicht – o wunderliches Parado-
xon – in der Werbung betätigten. Es stimmte
wirklich. Er selbst, Sigbjørn, kleidete sich wie
ein Bankbeamter – wie sollte er sonst den Mut
aufbringen, in eine Bank zu gehen? Es war
fraglich, ob besonders die Dichter sich ganz im
geheimen noch erlaubten, Dinge wie «Um
Gottes willen, hab Mitleid mit mir!» zu sagen.
Ja, sie waren mehr wie die anderen Leute geworden als die anderen Leute selbst. Und die
Verzweiflung unter Glas, all diese sorgfältig
vernichteten Privatbriefe, deren Schicksal es
war, im großen Glaskasten der Kunst besich-
tigt und zehntausendmal öffentlicher zu werden denn je, verwandelten sich jetzt in Hie-
roglyphen, meisterhaft verdichtete, dunkle
Geheimnisse, die von Experten entziffert
wurden – ja, und von Dichtern – wie Sigbjørn
Wilderness. Wil –

Und viele andere. Wahrscheinlich lauerte
zwischen diesen offenkundigen inneren Wi-
dersprüchen irgendwo ein guter Gedanke; das
Mitleid konnte ihn nicht davon abhalten, ihn
zu verwenden, ebensowenig ein gewisses
Grauen, das ihn jetzt wieder bei dem Gedan-

ken überkam, daß diese mumifizierten, nackten Schreie der Qual, für immer konserviert, dem Blick der Menschen preisgegeben waren, als lägen sie einbalsamiert in den Begräbnisinstituten der Ewigkeit aufgebahrt – jeder für sich allein und doch auch wieder nicht, denn war Poes Schrei aus Baltimore nicht schon sieben Jahre zuvor auf geheimnisvolle Weise durch Keats' Schrei aus Rom beantwortet worden – sagen wir so, wie in einem Sonett die letzten sechs Zeilen die Antwort auf die ersten acht sind? So erschien – wenigstens nach der in Sigbjørns Notizbuch waltenden, speziellen Wirklichkeit – Poes Tod als eine zusätzliche, gleichsam außerberufliche Formalität, als nachträglicher Einfall. Trotzdem war er fraglos ein Teil derselben Dichtung, derselben Geschichte. «Aber seine Seele ist noch umschattet…» – «Severn, heb mich auf, denn ich sterbe.» – «Nimm sie ab, tu sie weg.» Dr. Swells Root Beer.

Gute Gedanken oder nicht, in diesem Notizbuch war kein Platz für ihre Ausführung (die Aufzeichnungen über Poe, Richmond und Fredericksburg überschnitten sich mit seinen Bemerkungen über Rom, das Mamertinus-Gefängnis und Keats' Haus), und Sigbjørn zog ein anderes aus der Hosentasche.

Es war ein viel größeres Notizbuch mit steiferem, kräftigerem Papier, man sah ihm an, daß es aus der Vorkriegszeit stammte, und er hatte es bei seiner Abreise von Amerika im letzten Augenblick mitgenommen, weil er so etwas im Ausland schwer zu bekommen fürchtete.

Damals hatte er es fast aufgegeben, Notizen zu machen; jedes neue Notizbuch bedeutete einen Antrieb zu neuem Schreiben, der bald von anderem überdeckt wurde; infolgedessen hatte sich bei ihm zu Hause eine Anzahl fast leerer Notizbücher angesammelt, die er nach dem Krieg nie auf die Reise mitgenommen hatte, aus dem Gefühl, die Reise mit einem schädlichen Rückfall in die Vergangenheit zu beginnen; dieses hier hatte irgendwie besonders ausgesehen, und er hatte es eingepackt.

Doch es war kein unbeschriebenes Blatt, das sah er sofort: die ersten Seiten waren mit seinen Schriftzügen bedeckt, aber so zittrig und hysterisch, daß er zum Lesen die Brille aufsetzen mußte. Seattle, buchstabierte er. Juli? 1939. Seattle! Sigbjørn trank hastig ein paar Schlucke Grappa. Sieh da, der Tod hat sich einen Thron errichtet in einer fremden Stadt, einsam weit unten im trüben Westen, wo Gut und Böse und auch die besten Reste den Weg zur ewigen Verdammnis gegangen sind! Das untere ist das eigentliche Seattle... Sigbjørn fand es entschuldbar, daß er in jenen Tagen diese von reizvollen Bergen umgebene Stadt nicht voll gewürdigt hatte. Denn dies waren keine Aufzeichnungen, es war ein Briefentwurf, den er in sein Notizbuch geschrieben hatte, weil er diese Art Brief nur in einer Bar schreiben konnte. Einer Bar? Nun ja, man hätte es eine Bar nennen können. Denn damals schenkten sie in den Bars von Seattle im Staate Washington noch keinen hochprozentigen Schnaps aus – in Richmond im Staate Virginia taten sie das übrigens heute noch nicht –, und das war zum Teil der hassenswerte, sinnlose Sinn seines Aufenthaltes im Staate Washington gewesen. ALKOHOL NUR FLASCHEN-WEISE, dachte er. Nein, nein, geh nicht nach Virginia... Fang nicht mit Pepsi an, denn es ist ein tödliches Gift. Der Brief – natürlich erkannte er ihn, aber ob er eine zweite Fassung davon geschrieben und abgeschickt hatte, wußte er nicht mehr – datierte aus der Zeit des schlechthin tiefsten Tiefstandes seines Lebens, einer Zeit, die durch den unseligen Umstand gekennzeichnet war, daß die kleine Erbschaft, von der er damals lebte, plötzlich einem Anwalt in Los Angeles zur Verwaltung übergeben worden war, und an eben den war dieser Brief gerichtet; seine Familie, die ihn für unzurechnungsfähig hielt, wollte nichts mehr mit ihm zu tun haben, und der Anwalt hatte es praktisch ebenfalls abgelehnt und ihn nach Seattle zu einer zur Oxford-Gruppe hinneigenden frommen Familie geschickt unter der Bedingung, daß er pro Tag nicht mehr als 25 Cent in die Finger bekäme.

Lieber Mr. van Bosch,

es ist, abgesehen von allem anderen, aus psychologischen Gründen dringend notwendig, daß ich nicht länger in Seattle bleibe, sondern nach Los Angeles komme, um mit Ihnen zu sprechen. Sonst befürchte ich einen totalen geistigen Zusammenbruch. Ich habe hier bisher, was den Schnaps angeht, meinen guten Willen bewiesen – weit mehr, als ich mir zugetraut hatte –, außerdem bin ich sehr fleißig gewesen – bisher leider, ohne etwas zu verkaufen. Ich kann auch nicht sagen, daß die Mackorkindales mir so strenge Beschränkungen auferlegt haben, wie ich erwartet hatte; wenigstens haben sie in einigen Dingen Verständnis für meine Ansichten gezeigt, und wenn sie sich auch nur selten bereitfinden, die vereinbarten

25 Cent pro Tag zu erhöhen, und auch das nur nach einem Gebet um göttliche Führung, so stehen sie doch wenigstens meinen Rückkehrwünschen wohlwollend gegenüber. Das mag daran liegen, daß der ältere Sohn, der mir unablässig durch ganz Seattle nachläuft, buchstäblich am Ende seiner Körperkraft ist, vielleicht auch daran, daß Sie nicht genug Geld für meine Pension geschickt haben – jedenfalls ist die Grenze ihres Verständnisses jetzt bestimmt erreicht. Kurzum: sie haben Verständnis, können aber nicht aufrichtig einwilligen und werden Ihnen auch nicht raten, mich zurückkommen zu lassen. Und was für mich am schwersten zu ertragen ist: in allem, was mit meinem Schreiben zusammenhängt, begegne ich der Ansicht, ich «solle das alles hinter mich werfen». Wenn sie damit nur Sie oder meine Eltern beeinflussen wollten, so würde ich es verstehen, aber dieses Urteil wird mir, finde ich, ganz unabhängig und etwas gotteslästerlich präsentiert – obwohl sie fraglos daran glauben –, wie ein unmittelbarer Befehl vom lieben Gott, der sich täglich aus seinen Höhen niederbeugt, um den Mackorkindales – wenn

auch nicht so wortreich – mitzuteilen, daß ich als Schriftsteller ernsthaft gar nicht in Frage komme. Da ich – so wie die Dinge liegen – dahinter eine verborgene Wahrheit wittere, wäre das sehr entmutigend für mich, wenn sie es dabei beließen und nicht darüber hinaus der Hoffnung Ausdruck gäben – einer Hoffnung, die sich übrigens in mirakulöser Übereinstimmung mit Ihren und meiner Eltern Hoffnungen befindet –, daß ich statt dessen ein erfolgreicher Werbetexter werden könne. Da ich, wie gesagt, in allem Respekt annehmen muß, daß sie es mit ihrem Glauben ehrlich meinen, kann ich nur hoffen, daß sich in ihre täglichen Aussprachen mit ihrem Allmächtigen in Seattle versehentlich das Gebet eingeschlichen hat, er möge um Himmels willen diesen gräßlichen Mann nach Los Angeles zurückkehren lassen, und daß ihr Gebet bald erhört wird. Meine geistige Isoliertheit in dieser Stadt und die Schwermut, in die ich versunken bin, sind nicht zu schildern. An der See war es natürlich sehr schön – sicher haben die Mackorkindales Ihnen berichtet, daß die Gruppe ein kleines Treffen in Bellingham hatte (ich hoffe, Sie können auch einmal nach Bellingham fahren) –, aber was dieser Aufenthalt mir an therapeutischem Wert bieten kann, habe ich nun ausgeschöpft. Weiß Gott, ich muß das wissen, ich werde hier nie gesund werden, wo ich von Primrose getrennt bin, denn was Sie auch sagen mögen, ich wünsche mir von ganzem Herzen, sie zu meiner Frau zu machen. Zu meinem größten Entsetzen mußte ich schließlich entdecken, daß ihre Briefe an mich geöffnet werden, ich mußte mir sogar von denen, die diese Briefe gelesen und mir vorenthalten hatten, Vorträge über ihren tugendhaften Charakter anhören – ich darf gar nicht daran denken, wie das Ausbleiben meiner Antworten sie bekümmert haben muß. Diese Trennung wäre auch ohne alles andere eine unerträgliche Qual, aber so, wie die Dinge liegen, kann ich nur sagen: im Gefängnis, im schlimmsten Kerker, den man sich vorstellen kann, wäre ich besser daran als in dieser verfluchten Stadt mit der höchsten Selbstmordziffer der Vereinigten Staaten. Glauben Sie mir, ich gehe in diesem grauenhaften Loch zugrunde, und ich flehe Sie an, mir von dem Geld, das ja schließlich mir gehört, so viel zu schicken, daß ich zurückfahren kann. Sicherlich bin ich nicht der einzige mißverstandene Schriftsteller, es gibt andere in der Geschichte, die Ähnliches erlebt haben, die gescheitert sind... die sich schließlich doch durchgesetzt haben... Erfolg... Zöllner und Sünder... Ich habe nicht die Absicht – – –

Sigbjørn brach ab; er widerstand der Regung, den Brief herauszureißen, weil dann die anderen Blätter sich lockern würden, und begann ihn gewissenhaft Zeile für Zeile auszustreichen.

Und dann, als er die Hälfte ausgestrichen hatte, begann es ihm leid zu tun. Verdammt, nun konnte er den Brief nicht mehr verwenden. Schon als er ihn schrieb, hatte er ihn wohl ein bißchen zu gut für den armen van Bosch gefunden, obwohl das nicht viel besagte. Wo oder wie auch immer er ihn hätte verwenden können. Und doch, wenn sie – wer «sie» auch sein mochten – nun diesen Brief finden und in einem Museum mit seinen Andenken unter Glas ausstellen würden? Na, wenn schon – Trotzdem, man konnte nie wissen! – Nun, jetzt konnten sie ihn nicht mehr ausstellen.

Wie auch immer, vielleicht hatte er genug davon im Gedächtnis... «Ich gehe zugrunde, gehe schlechthin zugrunde.» «Was habe ich ihnen getan?» – «Sehr geehrter Herr.» «Im schlimmsten Kerker.» Und viele andere – und: *Du dreckiger, stinkiger, verkommener Gauner aus Boston, North End, Mass. Krummer Hund!*

Sigbjørn leerte sein fünftes Sündenglas, und plötzlich brach er in lautes Lachen aus – ein Lachen, das sich selbst für nicht ganz respektabel zu halten schien und sich darum alsbald in einen ausgedehnten – aber im ganzen relativ angenehmen – Hustenanfall verwandelte...

Pompeji heute

Als sie mittags bei Donnergrollen im bleiernen Zwielicht aus dem Bahnhof von Pompeji traten, sagte ein Mann zu ihnen:

«Kommen Sie in mein Restaurant *Vesuvius*. Das andere Restaurant ist kaputt... zerbombt», setzte er hinzu.

Während das Gewitter sich entlud und sie im dunklen Hinterzimmer des Restaurants saßen, erlebte Roderick einen Augenblick reinen Glückes; es fing an zu regnen. «Gott sei Dank», dachte er, «jetzt brauchen wir die Ruinen nicht anzusehen.» Und er beobachtete durchs Fenster die Taube in ihrem regenumprasselten Häuschen – man sah nur ihre Füße – und im nächsten Augenblick dieselbe Taube dicht neben sich auf dem Fensterbrett.

Sein Glück wurde vergällt durch die wiederholten beharrlichen Fragen des Wirtes, was er essen wolle – wo er doch nach einem Antipasto mit Brot und Wein völlig zufrieden war; außerdem wußte er jetzt, da der Regen aufgehört hatte, nur zu gut, daß er die Ruinen doch ansehen mußte.

Dennoch hätte er ewig mit seiner Frau in diesem dunklen, menschenleeren Hinterzimmer des Restaurants *Vesuvius* sitzen können.

Ja, es war schön, hier in Pompeji im Restaurant zu sitzen, während auf der einen Seite die Eisenbahn vorüberpfiff und auf der anderen der Donner um den Vesuv herum krachte; die tröpfelnden Silben des Regenepilogs, die Taube, das Mädchen unter der Gartenpergola, das singend im Regenwasser Geschirr spülte, und die vielleicht etwas ungeduldige, aber glückliche Tansy – am liebsten wäre er immer hiergeblieben, nie weggegangen. Aber als die volle Flasche *vino rosso* bis auf etwa ein Glas geleert war, sanken seine Lebensgeister, und einen Augenblick war es ihm fast gleich, ob sie blieben oder gingen. Nein, es war ihm nicht gleich: er wollte bleiben.

Wäre nur dieser üppige Krug der Hoffnung auch unvermindert geblieben! Oder könnte man ihn nur weiter so ansehen, als wäre er das symbolische Gefäß eines Glückes, das einem niemand entreißen konnte!

Roderick McGregor Fairhaven saß und hörte seiner Frau zu; sie sprach von der Landschaft, die sie gestern vom Zug aus gesehen hatten (nicht von diesem Zug, das war die Circumvesuviana, sondern vom Rapido, dem

Rom-Neapel-Expreß): in schneller Fahrt vorbei an den prachtvollen Aquädukten des Claudius, an einer Station namens Torricola – *och aye*, der Rapido trug seinen Namen zu Recht, dachte er wieder in der Erinnerung –, und peng! brausten sie durch Divino Amore. (Kein Aufenthalt für die Himmlische Liebe.) Und weiße Ochsen und Hochspannungsleitungen, Lupinen und Heuhaufen, Glockenblumen und gelbe Königskerzen, Heuschober so schief wie der Turm von Pisa, ein einsamer Habicht, der an den Telegrafendrähten entlangflatterte, der fette schwarze Boden – Tansy hatte alles gesehen und registriert, bis zu den Wiesenblumen, deren Namen sie nicht wußte: «Lila und goldgelb wie ein Perserteppich.» Das abschüssige Hügelland und dann die schmale Küstenebene, wo man die Form von Italien so deutlich spürte: «Wie ein Schwein mit messerscharfem Rücken.» In einem Regenschauer burgartige Ortschaften auf den Berghöhen, ein paar dunkle Tunnel, dann, wieder in strahlendem Sonnenschein, Felder mit worfelnden Männern und den schwarzen Schwaden der vom Weizen hochgewehten Spreu. Und das allerschönste, sagte Tansy jetzt, sei der leuchtendrote Mohn zwischen den elfenbeinfarbenen Weizenähren gewesen. Und dann Formia, eine langweilige kleine Station, von der man aber in der Ferne eine Neapel-ähnliche Stadt sehen konnte. Sie hatten durchs Fenster noch mehr burgartige Ortschaften auf grauen Felsen vorüberfliegen sehen, flammenden Mohn an einer verfallenen Mauer, eine watschelnde weiße Gänseschar an einem Teich, in dem dunkelgraue Kühe sich wälzten wie Nilpferde. Und: «Du hättest sie sehen müssen, ich glaubte, es *wären* Nilpferde», hatte Tansy gesagt; aber dann kamen sie an einer Ziegenherde vorbei, rostrot, schwarz und sahnefarben, die ein spindeldürrer kleiner Junge mit bloßen Füßen, bloßer Brust und leuchtendblauer Hose einen steilen Hügel hinauftrieb. Und die Schilder: *Vini Pregiati – Ristoro – Colazioni Calde* ... Wozu mußte man sich Ruinen ansehen? Warum sollte man das Restaurant *Vesuvius* nicht dem ganzen Pompeji und übrigens auch dem Vesuv vorziehen? Sofern Roderick zuhörte – obwohl ihr Geplauder ihn entzückte –, genoß er nacherlebend diese Eisenbahnfahrt viel mehr als gestern in dem heulenden elektrischen Zug selbst. Wieder ein kurzer Aufenthalt: Villa Literno. Und das Schild: *E Proibito Attraversare I Binario*. Solche Dinge hatte er für seine Schüler aufschreiben wollen – und nun stellte sich heraus, daß nicht er, sondern Tansy sie im Ge-

72

dächtnis behielt. Und kurz vor Neapel hatte er gedacht: Bewegung hat etwas Anonymes. Aber wenn der Zug hält, wenn die Stimmen scheinbar lauter und dringender werden, dann ist es Zeit, Bestandsaufnahme zu machen. Schlimme Augenblicke für den, dessen Bestand aufgenommen wird… Und es hatte auch etwas Anonymes, hier in Pompeji still in dem dunklen Restaurant zu sitzen und dem reizenden Geplauder seiner Frau zu lauschen. Sie sollte nicht aufhören. Im Neapel von 1948 hatten sie genug Ruinen gesehen, es war so traurig gewesen, daß selbst ein Boccaccio – wirklich Giovanni della Tranquillità – auf der Stelle nach Florenz zurückgekehrt wäre, ohne auch nur Vergils Grab zu besuchen –

«Pompeji», las Tansy aus ihrem Reiseführer vor, während es, Gott sei Dank, wieder zu regnen begann, «eine alte oskische Stadt aus dem sechsten Jahrhundert v. Chr., welche die griechische Kultur angenommen hatte, lag dicht am Meer in der reichen und fruchtbaren *campania felix* und war eine Hafenstadt mit regem Schiffsverkehr…»

«Ich weiß… sie exportierten Fischpaste und Mühlsteine… Aber ich dachte gerade…» Roderick zog seine Pfeife heraus, «…daß ich wenig über das unbehagliche, sogar tragische Ge-

fühl gelesen habe, das Reisende zuweilen überkommt, wenn sie sich ihrer Beziehungslosig-
keit zu ihrer Umgebung bewußt werden.»

«– – – was?»

«Der Reisende hat sich das mit vieler Mühe
und gutem Geld erkauft. Und was bekommt er
dafür? Vorwiegend etwas, wozu er nicht gehört. Diese Migräne der Fremdheit, irgendeine
große Ruine kann sie erzeugen – und in diesen
Tagen scheint es sich fast unausweichlich immer um Ruinen zu handeln –, aber auch das
Gefühl, daß man sieht, ohne wirklich zu sehen,
daß einem alles geistig unter den Händen zer-
rinnt, daß man nichts daraus machen kann;
und hinter sich, tausend Meilen weit, meint
man sein wirkliches Leben seinem Verhängnis
entgegenstampfen zu hören.»

«Ach, um Gottes willen, Roddy –!»

Roderick beugte sich vor, um ihre Weinglä-
ser wieder zu füllen, und dabei erblickte er sein
Bild in einem fleckigen Spiegel, in dem sich
auch die Regentonne und die regennasse Per-
gola im Garten und die Taube und das Geschirr spülende Mädchen spiegelten; hinter
dem quer über das Spiegelglas geschriebenen
Wort *Cinzano*, neben einer unter den Rahmen
gesteckten Karte mit dem rätselhaften Text
26–27 Luglio Pellegrinaggio a Taranto (in

74

Autopullman) sah er sich selbst: strahlend, vergnügt, die Brille auf der Nase, kräftig und stämmig, nachdenklich und ernst, eindringlich und doch scheu, mutig und schüchtern zugleich und vor allem geduldig – ungeduldig nur gegenüber Ungeduld und Unduldsamkeit –, der liberale, fortschrittliche schottisch-kanadische Schulmeister. Er lehnte es rundweg ab, sich die düsteren Gedanken, die er soeben geäußert hatte, zu glauben, und tatsächlich sprach sein ganzer Habitus dagegen.

«...der Ausbruch begann am frühen Nachmittag des 24. August mit dem Ausströmen großer Mengen von Gasen, größtenteils Dampf, die in einem senkrechten Strahl hoch aufstiegen und oben einen Wolkenbaldachin bildeten...»

Während er seine Frau bewundernd und über ihren Enthusiasmus gerührt betrachtete, wallte in ihm eine heftige Zärtlichkeit für sie auf. Dann wollte es ihm einen Augenblick so scheinen, als käme dieses Gefühl fast der Zärtlichkeit für sich selbst gleich. Und während er mit halbem Blick im Spiegel sich selbst, seine Frau betrachtend, ansah, vermeinte er fast die Heiterkeit und Großmut seiner Seele durch seine Brille blitzen zu sehen.

«Roddy, sieht es nicht wirklich ein bißchen

75

heller aus? Na, wenn es nicht aufhört, müssen wir eben bei Regen losgehen!»

Und jetzt, da der Aufbruch näherrückte, begann er das Restaurant *Vesuvius* schon mit einer gewissen Wehmut zu betrachten. Und nach einem weiteren Glas Wein überlegte er sich mit Vergnügen, daß etwas im tiefsten Wesen seiner Frau sich durch das Aufregende ständiger Bewegung und Veränderung angesprochen fühlen mußte: seine hübsche, entzückende, ein bißchen wilde und leicht zu begeisternde Tansy war zum Reisen geboren, und er fragte sich oft, ob dieser sich ewig bewegende und wandelnde Hintergrund nicht die ihr angemessene Umgebung sei... Er suchte in seiner Tasche nach Streichhölzern, und ein Zeitungsausschnitt flatterte heraus.

«Fliegt da Papas letzter Zeitungsbericht weg?» fragte Tansy.

Rodericks Schwiegervater, der als Bootsbauer bei Vancouver in British Columbia lebte, schrieb seiner Tochter fast nie, und seine Korrespondenz mit Roderick bestand aus Zeitungsausschnitten. Manchmal war etwas angestrichen, manchmal nicht; ganz selten schrieb er mit rotem Zimmermannsstift eine halbe Seite Bemerkungen dazu. Dieser Brief, den Roderick heute früh beim American Ex-

press in Neapel abgeholt hatte, war verhältnis-
mäßig inhaltsreich: er enthielt ein halbes Zei-
tungsblatt, bedeckt mit Anzeigen von Makler-
firmen oder Petroleum- und Bohrgesellschaf-
ten mit beschränkter Haftung und gekrönt von
der riesigen Schlagzeile: ÖL! ÖL! ÖL! Darunter die Schlagzeilen: BRITISH COLUMBIA
AUF DEM WEGE ZU INDUSTRIELLER HOCH-
KONJUNKTUR — ÖL BENZIN ALUMINIUM AN
DER SPITZE KOLOSSALEN INDUSTRIELLEN
AUFSCHWUNGS — MILLIARDENPROGRAMM.

Zunächst hielt Roderick das für eine ironi-
sche Anspielung auf ihre eigene kleine Speku-
lation, die sich so erstaunlich ausgezahlt hatte.
Dann aber bemerkte er eine von dem Alten an-
gestrichene Notiz, einen kleinen «Füller», der
anscheinend mit British Columbia überhaupt
nichts zu tun hatte:

TODESANGST

Ein 1000 Morgen großer Wacholderwald in Arizona ist plötzlich verkümmert
und eingegangen. Die Förster stehen vor
einem Rätsel, während die Indianer be-
haupten, der Wald sei vor Angst gestorben, obwohl sie sich nicht einig darüber
sind, wovor die Bäume sich so gefürchtet
haben sollen.

Eridanus. Jetzt im Juli stand der Wald hinter der Bucht mit den auf Pfählen ruhenden Häuschen und dem Bootsschuppen seines Schwiegervaters in üppig leuchtendem Grün, der himmlisch sonnendurchglühte Wald mit dem gewundenen Pfad, auf dem es nach Pilzen, Farnkraut und dunklen Tannen duftete, und luftigen Lichtungen, wo goldenes Licht durch weinblätterigen Ahorn und schwanke Haselnußsträucher fiel. In Tansys winzigem, steinigem Gärtchen mußten jetzt Fingerhut und wildes Geranium blühen, Ringelblumen, Kapuzinerkresse und süß duftendes Steinkraut; am Ufer leuchteten Weidenröschen und Gamswurz, vor der Veranda funkelte das Meer kalt, salzig und rein in Sonne und Wind (wenn nicht gerade vor der Raffinerie am anderen Ufer ein Öltanker lag), und dahinter ragten die Berge, auf deren Höhen noch Schneereste lagen, in türkisfarbenem Dunst zum Himmel auf. Wildkirsche und Hartriegel hatten jetzt ausgeblüht, die Schwarz- und Blaubeeren waren reif. Der Nerz, der mit seiner Familie in dem hohlen Baum wohnte, kam täglich heraus, tummelte sich mit raschen, verstohlenen Sprüngen am Strand oder schwamm, nur das böse, glänzendbraune Köpfchen über dem Wasser, wichtigtuerisch vorüber. Die Fischer waren alle nordwärts gesegelt, nach Active Pass oder Prince Rupert, und mit Ausnahme der Wochenenden waren nur die Wilderness und vielleicht Llewellyns und sein Schwiegervater da. Und dort sollte er jetzt auch sein – nicht in Paris oder Neapel oder Rom, sondern in Eridanus, sollte im langen Sommerzwielicht seine Hefte korrigieren, lesen oder Aufzeichnungen machen, mit Tansys Vater schwatzen, sich im Ruderboot auf der Bucht treiben lassen oder mit Tansy und Peggy einen Ausflug machen – und die Sternbilder beobachten; *mens sana in corpore sano.* Segelboote zogen stromabwärts oder kreuzten auf der Bucht, und wenn es dunkel geworden war, schwammen die Lichter des kleinen Fährbootes zwischen den Spiegelbildern der Sterne still den hurtigen dunklen Strom hinunter. Und abends, wenn Peggy schlief, schwammen sie bei Mondschein, oder sie diskutierten bei einer Kanne Tee über *Time*, *Life*, Thomas Mann, Kommunismus und die *Partisan Review*, über die krankhafte Verwirrung infolge des technischen Fortschritts, ihre erzieherischen Aufgaben, Peggys Zukunft oder Gurkos *Angry Decade*…

«Im Jahre 79 trat die Katastrophe ein. 36 Stunden lang spie der Vesuv einen Hagel von Bimsstein aus, darauf folgte ein Regen von

Asche und siedendem Wasser. Dieses ganze Gemisch ergoß sich über die Stadt und verschmolz zu einer mehrere Meter dicken Schicht, unter der die Stadt begraben wurde. Die Überlebenden kehrten nach Tagen des Schreckens zurück.»

Plötzlich fiel Roderick ein Abend im letzten Sommer ein, eine so lebhafte und von Sehnsucht erfüllte Erinnerung, daß er sich unwillkürlich umsah, als suche er eine Fluchtmöglichkeit aus dem Restaurant *Vesuvius*. Vor einigen Tagen war ein junger Seehund bis an ihren Strand geschwommen, und er und Sigbjørn Wilderness hatten ihn gefunden und mitgenommen, damit er ohne seine Mutter nicht zu Schaden käme oder verhungerte. Mehrere Tage hatte er in der Badewanne zugebracht; an dem Nachmittag, an den er dachte, hatten sie ihn zum Schwimmen mitgenommen, und plötzlich war er ihnen entschlüpft und verschwunden. Sie waren ihm nachgeschwommen, ohne ihn einzuholen, sie hatten den Strand abgesucht, ohne ihn zu finden, und sein Schwiegervater, der die ganze Angelegenheit mit Recht ungemein kindisch fand, hatte zu Rodericks Ärger ausgerechnet in diesem Augenblick eine lange Geschichte von einer Seejungfrau erzählt, die, wie er behauptete, in

Port Roderick auf der Insel Man von einigen Fischern aufgefischt und ebenfalls in die Badewanne gesteckt worden war. (Wie er erzählte, hatten sie für das arme Monstrum ein paar Eier gekocht, aber während sie das taten, entfloh die Seejungfrau; und er wußte noch ganz genau: als die Fischer von ihrer erfolglosen Suche am Strand zurückkamen, war das ganze Eierwasser im Topf verkocht.) Da man vom Kontrollturm der Second Narrows Bridge einen Schwertwal – und zwar einen weißen Schwertwal, einen Albino, den ersten seiner Art seit neunzehn Jahren – gesichtet hatte, der in ihre Bucht hineinschwamm (einer aus einer Schar und laut der Melvilleschen Klassifizierung sehr gefährlich), waren sie in großer Sorge um den Seehund und verwünschten sich selber, weil sie ihn überhaupt mitgenommen hatten. Die ganze Sache kam ihnen jetzt menschlich etwas fragwürdig vor, da der Seehund ja der schlimmste Feind ihrer Freunde, der Fischer, war, und es endete damit, daß er und Tansy bei den Wilderness auf der Veranda saßen und sich unterhielten... Etwas später – der Dunkelheit nach mußte es gegen Mitternacht gewesen sein – ging Fairhaven zu seiner Hütte, um eine in den neunziger Jahren erschienene Sammlung von schlecht übersetzter

Belletristik – Lamartine, Volney und Gott weiß was noch, übrigens ein recht dummes Buch – zu holen, aus dem er als Antwort auf eine Behauptung von Wilderness etwas vorlesen wollte. Und an diesen Weg zu seinem Haus und wieder zurück erinnerte er sich jetzt vor allem: die Stille im Wald, der absolute Friede, die blinkenden, funkelnden Sterne zwischen den Baumwipfeln (und auf einer Zeder die vier wachsamen Augen von zwei Waschbären im Schein seiner Taschenlampe), so still, so friedlich, dabei aber das ängstliche Gefühl von drohendem Unheil, denn sie hatten sich gerade wieder darüber unterhalten, daß die Bucht vielleicht bald an das Eisenbahnnetz angeschlossen würde oder daß man den Wald abschlachten wolle, um Platz für Autocamps oder die Zweigstelle einer Fabrik zu schaffen. Mit einemmal oder einmal wieder hatten sie die gleichen Sorgen gehabt wie die Bauern in einem Roman von George Eliot oder die finnischen Pioniere in den sechziger Jahren (oder auch, wie Primrose Wilderness bitter bemerkt hatte, wie alle Kanadier oder alle Menschen in fast jedem Zeitalter). Dazu kam das Gefühl, daß noch etwas anderes auf den Kopf gestellt, auf dem falschen Wege sei. Roderick stand ein Weilchen auf seiner Veranda und lauschte dem

Murmeln der steigenden Flut, mit der, erst fern und schattenhaft, dann deutlicher erkennbar, ein Öltanker herankam. Während er so, Buch und Taschenlampe in der Hand, auf seiner Veranda stand, war ihm, als wäre Eridanus mit einemmal der Schauplatz von wirklichen und scheinbaren Wunderdingen geworden wie das alte Rom. Als wäre der weiße Wal nicht Wunder genug, war in den Vier-Uhr-Nachrichten, die sie am Wilderness'schen Radio gehört hatten, ein Bericht wiederholt worden, nach dem «laut mehreren zuverlässigen Quellen» heute nachmittag die berühmten «fliegenden Untertassen» von verschiedenen Punkten aus auf ihrem Weg über Eridanus beobachtet worden seien, außerdem die «jetzt zum erstenmal zur Veröffentlichung freigegebene» eidliche Aussage des Polizeichefs, «daß er am vorigen Sonntag, als er mit seinem Sohn hinter Eridanus Port fischte, eine sich im Wasser tummelnde Seeschlange gesehen habe». Lieber Gott! Das alles war so lachhaft, so gräßlich komisch, daß Roderick beim Gedanken daran wieder lachen mußte. Aber in Wirklichkeit fand er es gar nicht so amüsant; solche Nachrichten, zusammen mit seinen anderen, tieferen Ängsten, erregten ihn und schufen in ihm eine dunkle Gewißheit von der Ungeheuerlichkeit und Bedrohlichkeit aller Dinge, wie man sie manchmal im verkaterten Zustand hat. Und da er sich außerstande sah, dergleichen im Aktenschrank eines zivilisierten Denkens einzuordnen, war es, als wäre er notgedrungen in die archaische Denkweise ferner Vorfahren zurückverfallen, und das Ergebnis war in hohem Maße erschreckend. Noch erschreckender war, daß er mit seinem zivilisierten Denken etwas, was sich als Gefahr für die ganze Welt erweisen konnte, gelassen und sehr viel weniger ernst genommen hatte als das Gerücht von der Bedrohung seines Heimes. Roderick sah, daß der Tanker sich leise und von ihm unbemerkt unmittelbar an der Raffinerie vorbeigestohlen hatte:

> Frère Jacques!
> Frère Jacques!
> Dormez-vous?
> Dormez-vous?

seufzten die Maschinen, wenn man genau hinhörte…

Und jetzt warf das Schiff mit erschreckendem Kettengerassel Anker, mit Gebumse und zitterigem Gebimmel, mit quietschendem Spill und dem mächtigen Unterwassergewühl der

Schrauben. Die Befehle klangen so, als wären die Rufenden eine halbe Kabellänge entfernt, obwohl das Schiff zwei Meilen weit weg und übrigens jetzt fast unsichtbar war, und all diese Geräusche kamen wie von einem Katapult abgeschossen übers Wasser; ein paar letzte Befehle hallten über die Bucht, dann Stille. Roderick blickte zur Ölraffinerie hinüber, «in Festbeleuchtung wie ein Kriegsschiff am Geburtstag des Admirals», hatte Wilderness gesagt. Aber wenn es für einen unerklärlichen Augenblick so ausgesehen hatte, als bedrohe der Öltanker die Raffinerie, so schien jetzt plötzlich die Raffinerie mit ihrem harten, unpersönlichen elektrischen Glitzerglanz den Tanker zu bedrohen. An diesem Tag der Wunder reihte die Raffinerie – obwohl alles andere als absurd – sich jetzt würdig ein. Als hätte er sie noch nie bei Nacht gesehen oder als hätte sie, mit unpersönlichen Vorahnungen geladen, gerade Gestalt angenommen, erschien sie ihm jetzt wie ein finsteres Omen.

Nebenan im Hause seines Schwiegervaters brannte Licht, und er sah durchs Fenster den alten Bootsbauer sitzen im warmen, sanften, goldenen Schein der Petroleumlampe, die weiche Schatten über die Hämmer, Spaltmesser und Krummäxte warf, all die gut geschärften und geölten und liebevoll gepflegten Werkzeuge; der Alte saß pfeiferauchend unter der Petroleumlampe – seine drei anderen Pfeifen für morgen früh lagen schon gefüllt neben ihm auf dem Tisch – und las, die Brille auf der Nase, in der *Geschichte der Insel Man* –

«Die Ruinen sind täglich von neun bis siebzehn Uhr für Besucher geöffnet, Eintritt frei. Am Eingang, sogar schon am Bahnhof drängen Italienisch, Französisch, Deutsch und Englisch sprechende Führer den Touristen ihre Dienste auf (Tarif!).»

«Donnerwetter – tatsächlich?» seufzte Fairhaven, Tansy zulächelnd.

«Eine Führung dauert eine bis anderthalb Stunden, aber für die gründliche Besichtigung der Stadt sind vier bis fünf Stunden erforderlich. Die Besucher dürfen keine Eßwaren mit hineinnehmen. Weißt du, als ich noch ganz klein war, hatte meine Mutter ein Stereoskop mit Bildern von Pompeji», sagte Tansy. «Es war noch von meiner Großmutter.»

«Was du nicht sagst!»

«Also, ich bin gespannt, ob es in Wirklichkeit so aussieht wie auf diesen Bildern! Ich sehe sie genau vor mir... Du hörst kein Wort von dem, was ich sage.»

«O doch... sie werden Asche und siedendes

Wasser auf uns regnen lassen, und wir dürfen nichts zu essen mitnehmen», sagte Roderick. «Aber wie steht es mit Wein?»

«Alle Art von verschiedene Vogel hier», sagte der Führer, «Schnecke, Kaninchen, Ibis, Schmetterling, Zoologie, Botanik, Schnecke, Kaninchen, Eidechse, Adler, Schlange, Maus.»

Außer ihnen war niemand in der Stadt Pompeji (die ihm auf den ersten Blick ein bißchen wie die Ruinen von Liverpool an einem Sonntagnachmittag vorkam oder auch wie Vancouver, angenommen, es wäre nach dem Großen Brand von 1886 in neuerer Zeit von einer Katastrophe heimgesucht worden – ein paar Säulen von der Börse, Fabrikschornsteine, die Reste der Bank of Montreal), nur sie und der Führer; und während Roderick Tansys spöttischen Blick – sie riß die Augen weit auf vor Vergnügen über diese geheimnisvolle Erklärung – erwiderte, sagte er sich, daß er sein Bestes dafür getan habe, diese Führung zu vermeiden.

Nicht etwa aus Niedertracht hatte er dem Führer aus dem Wege gehen wollen, dachte Roderick, auch nicht, weil er wenige Dinge so tief verabscheute wie diese ganze Feilscherei und Trinkgeldgeberei, nein, mehr aus einer lä-

cherlichen Angst. Er hatte nämlich auf dieser
Reise des öfteren – wie gerade jetzt im Restaurant *Vesuvius* – bei den elementarsten Han-
delsgeschäften so schmählich versagt, daß es
allmählich seine Eigenliebe verletzte. Darum
wanderte er lieber mit Tansy allein umher, ließ
sich lieber treiben, als von Anfang an alles dadurch zu verderben, daß er sich zum Narren
machte. Dann konnte er dieses Gefühl der selt-
samen Sinnlosigkeit seiner Umgebung aufge-
hen lassen im Glück ihres Zusammenseins –
und das war bestimmt etwas Reales –, in Tansys Freude an ihrer Europareise – und so hätte
er es auch gern bei diesem Gang durch Pompeji
gehalten. Außerdem hatte er dabei Gelegenheit, sich als Cicerone aufzuspielen (der er eigentlich sein sollte und verdammt gern gewesen wäre). Tansy war einerseits zu intelligent,
um sich etwas vormachen zu lassen, andererseits zu anständig, um so zu tun, als glaubte sie
alles; auf alle Fälle aber hätte dieser Trick
einen romantischen Zauber geschaffen oder
bewahrt, so etwas wie einen gemeinsamen
Astralleib von Gleichgültigkeit gegen die Umgebung, der Tansys eigener Intelligenz und
Freude an der Reise bestimmt keinen Abbruch
tun, aber doch – wenigstens stellte Roderick
sich das vor – wie eine göttliche Wolke seinen

banalsten Äußerungen das Gewicht nützlicher Belehrung geben würde, wie gerade jetzt, wo er eigentlich etwas sagen wollte wie «Tempel des Vespasian» oder «dorische und korinthische Säulen» oder sogar «Bulwer-Lytton».

Aber der Führer hatte, zwischen zwei Ruinen sitzend, auf sie gewartet, und im Handumdrehen waren sie in seinen Klauen. Roderick erinnerte sich jetzt halb und halb, daß Tansy gesagt hatte, man könne dem nicht entrinnen, man müsse einen Führer nehmen, das sei Vorschrift. Das Aushandeln des Preises – obwohl in englischer Sprache – hatte er diesmal ganz Tansy überlassen. Aber sie war zum Glück völlig von ihrem Vergnügen an der Situation des Augenblicks beansprucht und nahm Rodericks schändliche Untüchtigkeit gar nicht wahr – eine Untüchtigkeit, die übrigens nicht auf irgendeine Abneigung gegen diesen Führer zurückzuführen war, der ihn irgendwie an seinen ältesten Bruder erinnerte. Er war ein mittelgroßer, dunkler Bursche mit einer Adlernase und blitzenden Augen, abgetragener Kleidung und flinkem, militärischem Gang.

«Pompeji war eine Schule der Unmoral. Kein Leben so heuchlerisch wie bei uns», verkündete er nachdenklich, während er ein Stückchen vor ihnen einhermarschierte. «Blaue

«Berge, blauer Himmel, blaues Meer und eine weiße Marmorstadt.»

Die Fairhavens lächelten. Berge und Himmel waren jetzt, da das Gewitter sich verzogen hatte, in der Tat blau, und auch der Golf von Neapel wäre, wenn man ihn von hier aus hätte sehen können, zweifellos blau gewesen. Aber so, wie der Führer es sagte, klang es außerordentlich unheimlich, fand Roderick, während sie ihm durch die verstümmelten und nachgedunkelten Überreste der begrabenen und wieder ausgegrabenen Stadt folgten. «*Si*, ich bin Pompejaner!» setzte er, Tansy stolz zulächelnd, hinzu, als wäre für ihn dieses alte Cuernavaca-cum-Acapulco der Römer, dieser Fischpasten- und Mühlsteinhafen nicht ein Ruinenhaufen, sondern noch immer eine schimmernde, blühende Stadt voller Menschen und Leben, und als läge das Meer nicht meilenweit fort, sondern noch unmittelbar vor der Tür. «Nachdem Pompeji zerstört war», fuhr er mit einem Blick zum Vesuv eilig, aber noch immer nachdenklich fort, «Christen machen eine starke Propaganda. Sie sagen, ihr Gott hat Pompeji zerstört für seine Verderbtheit. Jetzt Pompejaner sagen: Was, Pompeji ist unmoralische Stadt? Wenn das so wäre, Vesuv muß jeden Tag kommen uns bestrafen.»

Roderick lächelte, der Führer gefiel ihm, und er blickte ebenfalls zum Vesuv hinüber, der mit seiner Rauchsäule jetzt klar zu sehen war und so weit entfernt und so harmlos wirkte, daß man ihm den Schaden, den er einmal angerichtet hatte, gar nicht zutraute. Aber um der Gerechtigkeit willen, sagte Roderick zu Tansy, mußte man wohl bedenken, daß an der jetzigen Harmlosigkeit des Vulkans vermutlich gerade der Schaden schuld war, den er einmal angerichtet hatte. Ach ja, der arme alte Vesuv hatte im letzten Jahrhundert einen Zermürbungskrieg gegen sich selbst geführt. Der feuerspeiende Berg wurde nicht mehr auf Kosten der Siedlungen zu seinen Füßen größer und stärker, alle Verwüstungen der letzten Jahre waren auf eigene Kosten gegangen, alle Ausbrüche und Lavaströme hatten seine Statur verkleinert, bis er schließlich den eigenen Kegel in die Luft gesprengt hatte und jetzt nur noch wie ein ferner Hügel erschien. Der Vesuv war ein umgekehrter Paricutìn. Möglich, daß er noch jetzt, in diesem Augenblick, neue Wut zusammenbraute, aber vielleicht sollte der Gott, der ja auf den Glauben der Menschen Wert legte, sich hüten, allzuoft durch Feuer zu ihnen zu sprechen, zu viele unmittelbare Zeichen seiner Gegenwart zu geben.

Tatsächlich fürchtete er sich vor dem Vesuv, sofern er sich überhaupt dazu bringen konnte, an ihn zu denken. Er erinnerte sich wieder daran, wie Tansy und er ihn erst vorgestern in Gesellschaft einiger Griechen bestiegen hatten – «es zieht sie an ihren alten Tummelplatz», hatte Tansy gesagt. Und bei diesem Ausflug hatte er bestimmt nicht daran gedacht, den Vulkan zu unterschätzen, dachte Roderick und bekreuzigte sich, während sie am Tempel der Venus vorbei zum Forum gingen. Ihre Schuhe waren voll Asche gewesen, die Führer mit ihren Stecken, die im Nebel schwarzen Zaubern glichen, hatten sie mit lautem Geschrei hinaufgetrieben, und oben hatte Tansy sich beklagt, daß man nicht – wie Lamartine – in den Krater hinabsteigen konnte, weil auf dem Weg in den widerlichen, zerwühlten Abgrund große Spalte klafften, verursacht durch ein kürzliches Erdbeben. Roderick hatte sich an der heißen Erde eine glückbringende Zigarette angezündet.

Es war schwer, mit dem Führer Schritt zu halten, der jetzt irgendwie verändert, gleichsam würdevoller erschien. Vielleicht, weil er sich hier so vollkommen zugehörig, ja sogar als Besitzer fühlte. Für Roderick hatte er jetzt das Aussehen eines stämmigen, gutsituierten, jovialen Geschäftsmannes in einem sehr korrekten, konservativen Börsenanzug: dunkelgrau gestreiftes Jackett, hellgraue Flanellhose, dunkelgrauer Schlips, weißes Hemd. Das Jackett, dessen Taschen mit Papieren vollgestopft waren, spannte über dem Leib, die Ärmel waren hochgerutscht und die Hosenbeine ausgefranst – daher der schäbige Eindruck. Aber zugleich hatte er dieses herzhaft Soldatische und diesen flinken militärischen Gang, der Roderick an seinen Bruder erinnerte, einen Gang, der ihn – und Tansy mit ihm – oft weit vor dem gemessen schlendernden Roderick ausschreiten ließ. Die beiden gingen vor ihm schräg durch das Forum und verschwanden zwischen einigen hohen, geschwärzten Säulen.

«Sie sehen, Tempel des Augustus», sagte der Führer gerade, als Roderick sie einholte. «Sie sehen: Eichel und Lorbeer – Stärke und Macht. Die Römer sagen: ‹Jeder Augenblick verlorene Liebe ist ein Augenblick vereiteltes Glück…› Die Römer sagen: ‹Leben ist ein sehr langer Traum mit offenen Augen.›» Er nickte Roderick zu. «‹Wenn Augen geschlossen, alles zu Ende, alles Staub…› Liebende genau wie Biester… Sie leben in Honig, süßes Leben.»

«Er meint Bienen», erklärte Tansy, sich mit Verschwörermiene zu Roderick wendend.

«Biester, Bienen… Eichel, Lorbeer, Metzger, Fischfleischmarkt. Ventilation von Meer, Brise kommt herein, lüftet aus.»

«Aha», sagte Roderick. «Der Triumphbogen des Nero.»

«Was sagst du, Liebling?»

«Der *Arco di Nerone*. Ich dachte nur, auf deutsch klänge es besser.»

«*Si. Arco di Nerone*… Die Römer sagen: ‹Leben ist eine Kette von zu ernst genommenen Bräuchen›», versicherte der Führer, sich umwendend. Er hatte einen herrlichen Namen: Signor Salacci.

Kein Zweifel, dachte Roderick wieder, diese Stadt, die gleichzeitig existierte und doch nicht existierte, war für den trefflichen Signor Salacci offenbar ganz wirklich und vollständig: er sah alles vor sich. Zudem hatte er sich ihr völlig angepaßt, er *lebte* hier, in Pompeji, in einem viel realeren Sinne, als ein Schauspieler in seiner Rolle lebt. Währenddessen wuchsen und zerfielen diese Gewölbe und Tempel und Märkte vor Rodericks Augen, so daß er sie allmählich fast mit den Augen des Führers sah. Das Seltsame war dieses tragische – tragisch, weil es fast gelungen war – Bemühen um Vollendung. Zuweilen hatte es den Anschein, als hätten die Römer hier all ihre guten und bösen

Träume in Form von Annehmlichkeiten verwirklicht. Mochte der Vesuv die Bewohner des alten Pompeji auch längst vernichtet haben, die Annehmlichkeiten schienen unsterblich zu sein – ein beunruhigender Gedanke.

«Pompeji mag schön proportioniert gewesen sein», sagte er, «aber soviel ich weiß, hat es sich zu seiner Zeit nicht durch einen besonders edlen Entwurf ausgezeichnet. Andererseits –»

«Wenn du es mit Bumble, Saskatchewan, vergleichst –»

«Aber höchst interessant finde ich, daß niemand versucht hat, aus diesem relativen Überleben von Pompeji eine moralische Nutzanwendung zu ziehen, wo doch über seine Zerstörung als Gottesurteil so viel geredet und geschrieben worden ist. Das Überleben scheint unheimlicher zu sein als die Zerstörung... Verglichen mit St. Malo oder Teilen von Rotterdam ist es ein Triumph. Sogar neben dem, was von Neapel übrig ist, hat es als Stadt etwas ausgesprochen Anmutiges, finde ich!»

Der Wacholderwald, der vor Angst gestorben ist... Ruinen, Ruinen, Ruinen –

– Am Abend ihrer Ankunft in Neapel hatten sie eine Droschke genommen und sich eine Stunde von dem schief trabenden Pferdchen die Promenade entlangfahren lassen. Was war von dieser großartigen Stadt mit ihrer gewaltigen Geschichte übriggeblieben, der Stadt, wo Vergil die *Äneis* geschrieben hatte und die einmal der äußerste westliche Vorposten der griechischen Welt gewesen war? Zweifellos war vieles erhalten. Aber ihm war es teils wie ein grauer Schutthaufen vorgekommen, teils wie ein zweitklassiger Seebadeort an der englischen Nordwestküste mit häßlichen, seelenlosen Gebäuden und mittelmäßigem Strand. Eine Betrachtungsweise, die für Tansy nicht gerade sehr reizvoll war, dachte er, während sie Hand in Hand in der klapprigen Droschke dahinschuckelten.

Abends waren sie durch die unglaublich steilen, dunklen Hintergassen der neapolitanischen Elendsviertel gestreift, vorbei an Altären und Nischen mit Bildsäulen, an Kindern, die Feuerräder abbrannten, waren zwischen den Häusern wunderbare, lange, übelriechende Treppen hinaufgestiegen, wo die Bettstellen vor den Haustüren auf der Straße standen und torkelnde Matrosen ihrem Mädchen den Koffer trugen – wo man hinblickte, ein Rembrandtscher Christus in Emmaus. Aus dem Dachfenster eines schmalen, hohen Hauses war langsam ein Korb hinabgelassen, unten mit Wein, Brot und Früchten gefüllt und

ebenso langsam wieder heraufgezogen worden, und Roderick hatte gedacht: so sollte das
Reisen sein, ein Korb, der in die Vergangenheit
hinabgelassen und wieder durchs Fenster her-
eingezogen wird, gefüllt mit der geistigen
Nahrung der Reise. Und so war es – hoffentlich, hoffentlich! – für Tansy… Da war die
Armut, da waren die Ruinen, aber der große
Unterschied zwischen diesen von Menschen
geschaffenen Ruinen und denjenigen von
Pompeji war, daß man es in Neapel meist nicht
der Mühe wert gefunden hatte, sie entweder zu
erhalten oder abzutragen… Das Leben selbst
hatte etwas von der Trostlosigkeit, die einen
überkommt, der sich immer wieder durch die
Dichtung *The Waste Land* quält, ohne sie zu
verstehen. Ohnmächtig steht der Mensch vor
seiner Gefühllosigkeit und Ignoranz, vor der
Angst, daß ihm keine Zeit bleiben wird, etwas
Schönes aufzubauen, daß er vertrieben und
ausgestoßen werden könnte; er ist ein Fremd-
ling in der Welt, die er selbst geschaffen hat, er
versteht sie nicht mehr. Der Mensch war wie
ein Rabe vor einem zerstörten Reiherstand.
Nun, mochte er, wenn er konnte, daraus
schließen, daß er nur ein Rabe war.

Sie gelangten zur Casa dei Vettii – oder Do-
mus Vettorium –, dem berühmtesten Haus

von Pompeji, und das erklärte zum Teil, wieso der Führer es so eilig hatte: Pompeji wurde um fünf geschlossen, und sie hatten spät angefangen.

Signor Salacci zog einen Schlüssel heraus und schloß eine Tür auf, und sie traten ein. «Sie wollen Dame-Frau Bilder sehen? Nur Verheiratete dürfen sehen», erklärte er. «Jedes Haus eine kleine Stadt: Garten, Theater, Vomitorium für Erbrechen und innen ein Liebesraum.»

«Und rechts vom Eingang ein Priapus», bemerkte Roderick nach einem Blick in den Reiseführer, «der nur auf Wunsch gezeigt wird. Aber, Tansy», fuhr er fort, «‹hier gewinnt man das bestmögliche Bild eines vornehmen pompejanischen Hauses, da die schönen Gemälde und Marmorverzierungen in dem mit Pflanzen ausgestatteten Peristyl in ihrer ursprünglichen Form belassen worden sind. Ein Teil des Hauses wurde mit einem Dach und Fenstern versehen zum Schutz der erstaunlich gut erhaltenen und prachtvoll ausgeführten Wandgemälde, die mythologische Szenen darstellen. Neben der mit Hausrat ausgestatteten Küche befindet sich ein verschlossenes Kabinett (obszöne Gemälde), das Privatgemach des Hausherrn, und hier steht auch eine Priapus-Statue, die als Teil

des Brunnens gedacht war... › Hoffentlich»,
setzte Roderick hinzu, «hat deine Mutter dir
das nicht in ihrem Stereoskop gezeigt.»

«Bassin für Goldfische», sagte der Führer.
«Pfauen und Hunde. Phosphorbelag auf Steinen. Weiße Säulen und blauer Himmel.
Schwer zu glauben... original...» Signor Salacci seufzte.

«Sie meinen –?»

«Wasserspiele und fliegende Vögel und
Phosphor im Pflaster», leierte Signor Salacci,
«und die Wände rot lackiert und dann gewachst, mit afrikanischem Leopard und erotischem Fries –»

«In diesem Raum brannten sie Fackeln, die
ein rötliches Licht gaben, davon wurden sie
alle erregt», wandte Tansy sich erklärend zu
Roderick, der ein wenig abseits stand. «Im
Garten dagegen war alles aus weißem Marmor, mit kühlen Springbrunnen und darüber
der Mond.»

«Diese Orgienfeste wurden meistens bei
Vollmond gegeben», sagte der Führer sehnsüchtig sinnend.

«Und während dieser Orgienfeste?»

«Sklaven mußten für sie beten –» Sie standen jetzt vor einem Altar für die Hausgötter,
die Laren und Penaten (wie mochte es ihrem

alten Kessel, ihrem Herd und Tansys Kupfertiegeln gehen?). «– denn Junggesellen hatten zu viel zu tun», setzte er eifrig hinzu.

Der Führer öffnete jetzt das Vorhängeschloß eines länglichen Holzdeckels, klappte ihn auf und enthüllte für ein paar Sekunden ein längliches, etwa 45 Zentimeter breites und 90 Zentimeter hohes Bild. Offenbar stellte es einen ungewöhnlichen Cyrano de Bergerac dar, in schwarzen, roten und ockergelben Tönen (und allem Anschein nach erst kürzlich in Marseille verständnisvoll restauriert) – einen Cyrano, der – so schien es auf den ersten Blick – seine Nase, aus der merkwürdige karminrote Funken sprühten, auf einer Goldwaage abwog. «Wo ist Geld, da ist Kunst, da ist Geschmack, da ist Intelligenz, da ist Verderbnis, da ist Kampf – das ist Pompeji!» erklärte Signor Salacci mit Wärme, während er das Vorhängeschloß wieder vor diese eifersüchtig gehütete, imposante Reliquie legte.

«Ich habe immer gehört, in Pompeji gäbe es eine Nachbildung der archimedischen Schraube», bemerkte Roderick. «Aber die wurde, glaube ich, mit dem Fuß betrieben.»

«Aber aus den Fenstern werde ich nicht klug, Rod», kicherte Tansy, vielleicht um ihre Verlegenheit zu verbergen, oder auch weil es ihr peinlich war, dem Führer zu zeigen, daß sie bei aller natürlichen Unschuld und Sittsamkeit derlei Darbietungen mit verhaltenem, aber herzhaftem Rabelais'schen Vergnügen zu schätzen wußte.

«Nun, das hat er ja gesagt, Tansy-Schatz. Es gibt – Oder vielmehr gab – gar keine Fenster. Genau wie die Wände nicht aus Marmor, sondern mit einer Marmorimitation aus Stuck verkleidet waren. Es sind einfach gemalte Fenster, die den Eindruck erwecken sollen, man sähe durch richtige Fenster.» Roderick stopfte seine Pfeife. «Nach Swedenborg ist natürlich auch der wirkliche Sonnenaufgang eine Imitation… Die Technik scheint irgendwie literarischen Ursprungs zu sein.»

«In bezug auf Ungestörtheit hat es gewisse Vorteile, das mußt du zugeben –»

«*Och aye*… Kurzum, mit gewissen naheliegenden Vorbehalten ist es nicht viel anders als die Scheißmansarde ye olde Wigwamme Inne Cockington Moosejaw und Himmeldonnerwetter –»

«Was sagtest du, Rod?»

«Ich sagte, erinnerst du dich an den Mann, der an Geralds Haus den Rauhputz machen wollte? Oder vielleicht habe ich an diese Zeltplane auf Percys Garage gedacht, die so angemalt ist, daß sie wie ein rotes Ziegeldach aussieht.»

«Erst Wein, alle werden betrunken, und dann Bordell», verkündete Signor Salacci mit der Miene eines nachsichtigen Gastgebers, der mitten in einer Orgie neue Vergnügungen vorschlägt, während er die Casa dei Vettii hinter ihnen abschloß. Sie eilten im Sturmschritt den sonnigen Vico dei Vettii hinunter, und nachdem sie durch die Strada del Vesuvio einen Blick auf den Vulkan geworfen hatten, bogen sie in die Strada Stabiana ein.

«Ein dummer Platz für einen Vulkan», sagte Roderick, als sie jetzt an der Casa di Cavio Rufo vorübergingen und an die Kreuzung der Strada degli Augustali und der Strada Stabiana gelangten.

Hier bogen sie nach rechts in eine schmale, holprige und ungemein krumme und gewundene Gasse ein, die den Eindruck machte, als hörte sie nie auf.

«Vico dei Lupanare. Wein-, Weib- und Gesangstraße», krähte der Führer triumphierend. «Erst Wein und dann Bordell», wiederholte er. «Brot und Weib, erstes Element im Leben, symbolisch... Alles symbolisch... halt! Ein Eingang – Junggesellen unten, Verheiratete, Priester und Verschämte oben.»

Wenn man nicht zufällig Toulouse-Lautrec heißt, gibt es kaum etwas Unrentableres als den Besuch eines Bordells, überlegte Roderick, es sei denn den Besuch einer Bordellruine. Hier war eine ganze Straße von Bordellruinen. Die Häuser waren Steinbauten, aber man brauchte erheblich viel Phantasie, um sie sich belebt vorzustellen, und am wenigsten wirkten sie wie Freudenhäuser. Für ihn sahen sie zunächst wie eine Reihe eingefallener Backöfen aus oder wie Schweineställe – sofern es Schweineställe aus Backstein gab. Sie waren aber mit allerlei Simsen und Nischen versehen, die für die sexuellen Bedürfnisse einer Rasse von wollüstigen Zwergen geschaffen zu sein schienen.

«Roderick, sieh doch, Schatz, da sind die Mühlen, mit denen sie das Mehl gemahlen haben! Und die Backöfen, sieh doch, da ist sogar ein versteinerter Brotlaib!»

«Sí, erst Brot, dann Wein, dann Weib in dieser Straße», nickte Signor Salacci gewichtig. «Erste Elemente des Lebens, alles symbolisch!»

Roderick wurde sich jetzt einer gewissen abgestumpften Blasiertheit bewußt. Dabei sollte eine Straße mit lauter toten Bordellen, die Gottes Zorn so – relativ – wunderbar überlebt hatten, vielleicht doch stimulierend auf die niederen Bereiche der Seele wirken! Oder doch wenigstens die Ruine der Apotheke, die, wie der Führer betonte, so bequem gleich an der nächsten Ecke lag. Auch hier wurde es mehr als deutlich, daß all diese Lokalitäten für Signor Salacci nicht nur existierten, sondern auch vielleicht gespenstische, aber jedenfalls flotte Geschäfte machten. Besonderen Gefallen schien ihr Führer an den cyranesk-priapischen Gewerbezeichen zu finden, die hier und da als schelmische Wegweiser zwischen den Kopfsteinen eingelassen waren. Vielleicht pilgerten noch jetzt die Gespenster der Junggesellen von Pompeji zu ihren schaurigen Gelassen hinunter, und während sie es sich dort bequem machten, schwebte vielleicht eine endlose Prozession von Verheirateten, Priestern und Verschämten an ihnen vorüber, hinauf zu den blutsaugerischen käuflichen Huren im Obergeschoß. Signor Salacci mit seiner romantischen Anhänglichkeit war gleichzeitig rührend und komisch, fand Roderick. Seinetwegen hatte der Nachmittag sich gelohnt. Es war nicht einmal ganz unmöglich – er wischte sich einmal die Augen (vielleicht eine Träne?) –, daß für ihn ein großer Kummer, eine romantische Liebesgeschichte mit diesem Ort verbunden war.

Nichtsdestoweniger m[...]

lich, daß er gegen diese St[...]

lichen, giftigen Haß empfa[...]

war dieses Pompeji! Ihm l[...]

stäblich das Wasser im Mun[...]

sein Gang bekam etwas Hüp[...]

ihm jetzt so vor, als wäre ei[...] der

nordwestlichen Küste des Stillen Ozeans durch

Überschwemmung total zerstört worden, und

kraft einer perversen Gnade wären ein paar

Gebäude verschont geblieben, ein Stückchen

vom Bahnhofshotel, ein Teil der Gaswerke, die

Skelette von vier oder fünf Luxuskinos, ebenso

viele Kneipen und mehrere öffentliche Pis-

soire, ein Bruchstück des Marktplatzes mit

dem Gebäude, in dem einmal eine automati-

sche Wäscherei gewesen war, Reste einiger

prachtvoller Industriellenvillen (obszöne Ge-

mälde), ein Footballstadion, die Kirche vom

Standhaften Evangelium, eine beschädigte Sta-

tue von Bobbie Burns und schließlich die Über-

reste der Bordelle in Chinatown, die abzu-

schaffen Bürgermeister und Polizei sich vor der

Katastrophe redlich bemüht hatten und die

nun, nach fünftausendneunhundertneunund-

neunzig Generationen, noch immer dastan-

den, woraus man – wahrscheinlich mit Recht –

schließen würde, daß die Stadt, an heutigen

... gemessen, eines der sieben Welt-
... gewesen sein müsse, womit noch nicht
... war, daß sie zu ihrer Zeit – mit Aus-
ahme der Berge – irgend etwas Besonderes
geboten hätte. Gerade sagte der Führer, in
Pompeji habe zu gewissen Tageszeiten ein so
ohrenbetäubender Straßenlärm geherrscht,
daß man den Verkehr überhaupt stillegen
mußte. Bei diesem Kopfsteinpflaster konnte
man sich das gut vorstellen – mein Gott, wie
mußte man sich hier weggesehnt haben! Und
dann fiel ihm ein, daß Pompeji gar keine Groß-
stadt war, sondern nur ein kleines Städtchen
am – am –

– Roderick hatte sein Buch gefunden – unter
einem Stoß alter Nummern des *American Mer-
cury*, der seit Erbauung des Hauses dort liegen
mußte – und wollte zurückgehen; aber als er
auf seine Veranda hinaustrat, blieb er stehen:
die Aussicht war von phänomenaler, überwäl-
tigender, unheildrohender und doch merkwürdig beruhigender Schönheit. Der Mond
war hervorgekommen und stand nun hoch am
Himmel zwischen Schäfchenwolken und einzelnen dunkelblauen Himmelsflecken, in denen glänzende Sterne funkelten. Die Flut stand
hoch, das Wasser war ruhig und glatt wie ein
dunkler Spiegel, in dem sich die ganze Him-

melskuppel spiegelte. Dann merkte Roderick, daß das Bild nicht wegen des Mondscheins oder der Bucht selbst so neu, so einzigartig schön auf ihn wirkte, sondern gerade durch die Ölraffinerie, oder genauer gesagt, durch ihren industriellen Kontrapunkt, den rot flackernden Scheiterhaufen der brennenden Ölrückstände. Jetzt kam über das Wasser (so still war es, daß er die leisen Stimmen der Wilderness zweihundert Meter weiter deutlich hörte) das träge Läuten der Warnglocke eines Güterzuges bei Port Boden; es klang wie ein nicht enden wollendes Vesperläuten, bald näher, bald ferner, jetzt mit byzantinischem Timbre im Wasser nachzitternd, jetzt schmerzvoll wie die Glocken von Oaxaca, jetzt ein blauer Klang, jetzt im Näherkommen voller und runder, dann verhallend, aber immer wie ein ländliches Geläut aus alter Zeit, das einen Wordsworth oder Coleridge zur Schilderung eines beim Abendläuten über die Felder wandernden Liebespaares hätte inspirieren können. Aber während das Mondlicht allem die Farbe nahm und sie durch Helligkeit, durch farblosen Glanz ersetzte, leuchteten halb rechts am anderen Ufer die Flammen der verbrennenden Ölrückstände unter dem Mond in einem höchst ungewöhnlichen, fahlen Zinnoberrot, ungeheuer real und eigentlich böse; die Glocke läutete mit kurzen Unterbrechungen weiter die Strecke entlang, das unermüdliche Vesperläuten, das weder schwächer noch von dem traurigen Pfiff oder dem fernen Klicken der Räder auf den Schienen übertönt wurde, und Roderick dachte, wie anders Eridanus von der Raffinerie her aussehen mußte. Was sah man von dort? Gar nichts, vielleicht nur die Petroleumlampe seines Schwiegervaters und die erleuchteten offenen Fenster bei den Wilderness, weiter nichts, wahrscheinlich nicht einmal den Wilderness'schen Landungssteg, der sich im Mondlicht so großartig ausnahm mit dem schönen geometrischen Muster seiner Verstrebungen, das sich in der Wasserspiegelung fortsetzte; vielleicht konnte man gerade noch den dunklen Block des Schuppens seines Schwiegervaters erkennen und dann die schwarze Masse des Waldes und die dahinter aufsteigenden Berge; aber die Formen der Hütten würde man nicht unterscheiden können, vielleicht nicht einmal die Bucht selbst, und sein eigener Schatten würde von dem Ganzen nicht zu trennen sein.

Die Wilderness'sche Katze kam vom Hause seines Schwiegervaters herüber und folgte ihm die Stufen hinauf und den Pfad entlang und führte ihn, bald stehenbleibend und auf ihn wartend, bald vor ihm herspringend, zurück zu den Wilderness. Einmal blieb er stehen, um das Tier zu streicheln, das ihm plötzlich eine merkwürdige Seite oder Eigenschaft der Ewigkeit zu demonstrieren schien, und während er so im Walde stand, kam es ihm aus irgendeinem Grunde seltsam vor, daß das Aussehen und Benehmen von Katzen zur Zeit von – sagen wir, von Volney, aber auch von Dr. Johnson das gleiche gewesen sein mußte. Inzwischen suchte er mit seiner Taschenlampe in Volneys *Ruin of Empires* nach einer Stelle, die ihm eingefallen war und die er vorlesen wollte: «Wo sind die Wälle von Ninive, die Mauern von Babylon, die Paläste von Persepolis, die Tempel von Balbek und Jerusalem –» Das war ganz offensichtlich absoluter dithyrambischer Kitsch, aber in Anbetracht der Zeit, zu der es geschrieben war, vielleicht – so meinte er jedenfalls in diesem Augenblick – interessant für seinen Disput mit Wilderness im Vergleich zu Toynbee. «– die Tempel sind zerfallen, die Paläste eingestürzt, die Häfen versandet, die Städte zerstört, und die Erde, von ihren Bewohnern entblößt, ist eine Grabstätte geworden. Großer Gott! Von wannen kommen solche verhängnisvollen Umwälzungen? Woher kommt es, daß das Glück dieser Länder sich so gewendet hat? Zu welchem Ende sind so viele Städte zerstört... wo sind jene glanzvollen Erzeugnisse des Fleißes...?»

Während er an jenem Abend mit der ihn umspringenden Katze durch den Wald ging, hatte er mit einemmal das Gefühl gehabt, ganz außerhalb der Zeit zu stehen – als wären diese von Volney apostrophierten Städte eigentlich nicht zerstört, als *hätten* diese antiken Völker sich immer erneuert und forterhalten, oder vielmehr: als geschähe das alles jetzt, in diesem Augenblick, in ständiger Wiederholung, als würden diese Reiche und Städte vor seinen Augen ständig erbaut und zerstört und wiedererbaut; dann wiederum mußte er denken, viel geheimnisvoller als alle von Volney aufgeworfenen Fragen sei es doch, daß man es noch immer notwendig fand, sie zu stellen oder mit unbefriedigenden Erklärungen zu beantworten. Hatte Toynbee wirklich etwas Neues gesagt? Oder Volney zu seiner Zeit? Während die Katze ungeduldig ihre Krallen an einem Baum wetzte, suchte er noch einmal mit der Taschenlampe in dem vergessenen Volney. «Die Einzelnen werden erkennen, daß persönliches Glück eng mit dem Allgemeinwohl verknüpft ist.» Gut, über diesen Punkt lohnte es sich jedenfalls zu diskutieren – aber was war das Allgemeinwohl? Was war persönliches Glück?

«In Deutschland, England rotes Licht», sagte Signor Salacci. «Römer bessere Idee. Phallus vor Haus.»

Nun ja, St. Malo war ausgelöscht, Neapel schimpfiert, aber der Phallus auf der Straße vor einem antiken pompejanischen Bordell war noch da. Nun ja, warum nicht?

«Äskulap-Schlangen vor Haus, ein Doktor…» fuhr der Führer fort. «Drogerie und öffentliches Waschbad… Soldaten, Studenten, billigste Preise. Noch vor dem Krieg, in Mussolini-Zeit, sie hatten genau das. Regulärer Preis ist 15 Lire. Für Studenten und Soldaten halber Preis 7.50 – aber billig ist immer gefährlich… Drogerie und öffentliches Waschbad», er deutete den Vico dei Lupanare hinunter. «In Süditalien ist viel Tripper. 70 Prozent von Leute haben Tripper, aber jetzt gibt es amerikanisches Penicillin – huit, in ein paar Tagen! So niemand kennt Prozente.»

Roderick summte vor sich hin… Der ausgezeichnete menschliche Verstand hatte ein in 24 Stunden wirkendes Heilmittel gegen Tripper entdeckt. Was auch kommen mochte, der Mensch wußte sich immer zu helfen! Mit dieser wunderbaren Entdeckung ausgerüstet, sah er der Möglichkeit entgegen, sich 72 Tage lang täglich eine andere Art, am 73. vielleicht eine noch nie dagewesene Art Tripper zu holen.

«Weinstraße, Weiberstraße und öffentliches Waschbad», intonierte der Führer in düsterem, fast biblischem Tonfall. «In Pompeji man zahlt im voraus. Viele Männer kommen. *Étrangers.* Fremde und Matrosen, Sie verstehen. Sprechen nicht Lateinisch. Aber Römer machen es leicht. In jedem Zimmer ist andere Position angemalt, und Mann sucht sich aus, was er will. Ah, Wein-, Weib- und Gesangstraße! Halt!» setzte er hinzu und hob warnend den Finger, da Roderick zu einer Bemerkung ansetzte. «Alle Straßen symbolisch. Alle Straßen laufen gerade von Osten nach Westen, von Norden nach Süden. Nur die krumme Straße nicht, Weinstraße und Weiberstraße… Ein betrunkener Mann kann sagen: ‹Ich weiß nicht, wo ich bin. Ich weiß nicht, wo ich war.› Darum Straßen gerade, nur eine gebogen, so er kann nicht sagen: ‹Ich weiß nicht, wo ich war.› *Si*», sagte er, während sie weiter den Vico dei Lupanare zur Strada dell’ Abbondanza hinuntergingen. «Darum sind Straßen gerade, nur eine gebogen, so er kann nicht sagen: ‹Ich weiß nicht, wo ich war.›» Er schüttelte den Kopf.

– Rodericks letzte Erinnerung an Eridanus

war ein kolossaler Brand: die *Salinas*, achtern mit unschuldig aussehenden, schnittigen Schornsteinen versehen, hatte ganz friedlich vor der Raffinerie gelegen und Rohöl gelöscht, und plötzlich – peng! – flog ein Stück Kai in die Luft, und die Sirenen heulten, als wäre schon Feierabend; dann warf der Tanker die Vertäuung los und fuhr – oder vielmehr ruderte – schweigend in die Bucht hinaus, und während das Feuer auf dem Schiff anscheinend schon gelöscht war, stieg aus der hohen Säule des Raffinerieschornsteins ein Rauchpilz an die 400 Meter hoch in die Luft. Peng! Peng! explodierten die Ölbehälter; drei Kilometer weit konnte man das Feuer knistern hören und die großen Wasserschläuche erkennen – Peng! Peng! Sie beobachteten den Brand vom Wilderness'schen Landungssteg aus, denn es schien so, als wäre der ganze Uferbezirk von einer ungeheuren, furchtbaren Katastrophe bedroht, und seine Knie zitterten so heftig, daß das Fernglas in seiner Hand wackelte. Peng! und gegenüber die unbewegliche *Salinas*, und das Feuer breitete sich aus, das Knistern und Brausen wurde lauter, dazu das zweistimmige Heulen der Sirenen im schwirrenden Diminuendo. Und dann, etwa nach einer halben Stunde, kam aus der Stadt das prachtvoll betürmte Feuerlöschboot, wie ein wieherndes Pferd, wie ein urinierender Dinosaurier, ein Monitor, ein mittelalterliches, aber hypermodernes Phantasiegebilde, von Leonardo da Vinci geschaffen. Die Katastrophe war noch einmal abgewendet – wenn nicht das Öl auf der zurückgehenden Flut in Brand geriet. Und das Gitterwerk auf dem Pier der Ölgesellschaft als klare Silhouette vor dem Rauch und Dampf – darüber die Flugzeuge, die das Ereignis für die Zeitungen fotografieren wollten –, und die *Salinas*, auf der kein Mensch zu sehen war, dampfte in schuldbewußtem Schweigen langsam, langsam in Richtung Port Boden davon. Und nachher, als die Aufregung sich gelegt hatte, den ganzen Nachmittag über der verrückte Anblick des Himmels, die Sonne wie die feurige Nabe eines gigantischen schwarzen Rades mit einem Regenbogenreifen, der Gestank von bruzzelndem Öl, der über die Bucht getragen wurde, und gegen Abend die Neugierigen, die zu dem von zischenden Wasserstrahlen bestrichenen Kai hinüberruderten. Dann, am nächsten Morgen, sah man, weiß Gott, die *Salinas* mit schuldbewußter Miene von Port Boden stumm und langsam zu dem halbzerstörten Landeplatz der Raffinerie zurückschleichen; das Häuschen an dem gegenüberliegenden grünen Ufer glitt langsam hinter ihrer Brücke, ihrem Großmast, ihrem Schornstein vorbei, während sie, an der Steuerbordseite mit Brandnarben bedeckt, sich nun lautlos, stumm und langsam, immer mit dieser schuldbewußten Miene, wieder der Raffinerie näherte, zwischen deren Trümmern noch ein einziger Schlauch als flackernder weißer Strich zu erkennen war. Die *Salinas* erinnerte jetzt an einen verkaterten Trinker, der in der Morgenfrühe um die Kneipe herumstreicht, aus der man ihn gestern abend hinausgeworfen hat. Die unumgängliche Gösch – ein mit zitteriger Hand gebundener, ausgefranster Schlips – bemühte sich, an dem verkrüppelten Fockmast zu flattern, und die amerikanische Flagge am Heck hing schlaff wie ein heraushängender Hemdenzipfel in der Windstille des trüben Morgens. Offensichtlich hätte der Tanker gern einen großen Bogen um die Raffinerie gemacht, aber ebenso offensichtlich mußte er an ihr vorüber (und wollte auch dort anlegen), an dieser abscheuerregenden Stätte seiner Ausschweifungen – wie jene Stadt für den eingeschüchterten, verschmitzten Don Quijote –, Ausschweifungen, die er nicht kannte oder vergessen hatte, für die man ihn aber höchstwahrscheinlich verantwortlich machen würde. Auf Zehenspitzen an der Raffinerie vorbei, aber im nächsten Augenblick – bei Gott, er hatte Mut, er hatte Charakter, an diesem Morgen dem gereizten, übermüdeten Feuerlöschboot die Stirn zu bieten! – lag der Tanker in Lebensgröße, gleichsam mit dem Ellbogen auf die verwüstete, zerstörte Theke der Raffinerie gestützt, an genau demselben Platz wie tags zuvor... «Wie ich sagte, Kamerad, als wir so unhöflich unterbrochen wurden...» Und noch abends lag er – mit schamloser, unverkennbar liederlich-ordinärer Schlagseite nach Steuerbord – an derselben Stelle, als redete er sich den Mund fusselig. Und dann – so viel zugunsten von Symbolen und bösen Vorzeichen! – dämmerte der nächste Morgen blau und rein und frisch, weiße Rosse galoppierten vor dem Kai der Raffinerie, der jetzt völlig unbeschädigt aussah, und die *Salinas* war auf und davon, stampfte unschuldig irgendwo über den blauen Ozean, der ihren Kater wegspülte. Vorüber das Feuer, vorüber Gestank und Geräusche und Sirenengeheul, nur das frische Grün des Waldes, die blauen und weißen Rauchfahnen der Sägemühlen vor den grünen Hügeln, der Himmel wieder normal, die Berge hoch und das Meer blau und kalt und sauber, und über allem eine unschuldige Sonne...

«Wo zuviel Religion, da ist Verderbnis – weißes, rotes Licht und vor Haus ein Phallus», sinnierte der Führer, der gerade wieder so ein horizontales Emblem im Pflaster vor dem einst respektablen Lupanar entdeckt hatte. «Bräuche!» Er betrachtete einen Augenblick den sinnlos gewordenen, ungewöhnlichen Wegweiser – vielleicht der Urgroßvater aller späteren Wegweiser. «Freund fragen –» begann er. «Aber wie dieses Haus finden? Freund sagen: ‹Geh zu Brunnen, 30 Schritt auf linke Straßenseite ist Zeigephallus!› Freund geht...» Er gestikulierte bedeutungsvoll, als ginge er selbst. «Warum dahin? Er geht hinein. Sehr nett, sehr sauber, Separaträume für Liebe und schöner Garten für erst spazieren und erregt werden...» Signor Salacci war müde und setzte sich einen Augenblick auf eine verfallene Mauer. Die grauenvolle Trostlosigkeit an der unheiligen Stätte. «Sehr schmutzige Straßen», setzte er hinzu, als sie wieder weitergingen. «Gegensätze», sagte er sinnend, «in allem. Niedergang von römisches Reich in Pompeji angefangen... alter Marmor zerbrochen», sagte er traurig. Er deutete auf eine einsame Büste, die traurig im strahlenden Sonnenschein stand. «Eine Nachbildung von Apollo, genau dieselbe Größe, aber –» er zischte und

zog ein langes Gesicht – «mit einem Damenge-
sicht, weil die Griechen alles so süß und sanft
machen, aber die Römer machen alles so –» er
strich sich, einen wilden Bartwuchs andeu-
tend, das Kinn – «mit Bärten.»

«Römische Übertreibung ist das», fuhr er
nach einer Weile fort, «jede Übertreibung im
Leben ist Niederlage, und darum Untergang…
Sie sehen», sagte er, auf ein Beispiel für dieses
Phänomen hinweisend, «Kalk ist stärker als
Stein, Steine abgenutzt, Kalk noch gut. Ach-
tung, Kurve, meine Herren!» Er dirigierte sie
um eine vorrömische dorische Säule herum.
«Auf italienisch wir lachen und wir sagen:
‹Achtung, Kurve, meine Herren.› Ein Wort-
spiel», erklärte er. «*Curva* heißt auch gefalle-
nes Mädchen…» Sie näherten sich einem
Schutthaufen. «Amerikaner hier Bomben wer-
fen… Amerikaner überall Bomben werfen»,
klagte er genießerisch. «Studenten spazieren in
Garten.» Die Fairhavens blickten sich um, sahen aber keine Studenten. «Griechisches
Theater, Soldatenkaserne, Nachttheater, Pi-
nien», summte er. «Wo zuviel Religion, da ist
Verderbnis», fügte er hinzu, «weißes, rotes
Licht, und vor Haus ein Phallus. Bräuche! Sehen Sie, moderne Installation.» Und während
Roderick die verdrehten Teile von großen Blei-

rohren betrachtete, überlegte er, daß es ja stimmte: in grauer Vorzeit hatten die Römer *wirklich* moderne Installation gehabt.

Solange ein Mann nicht mit eigenen Händen ein Haus gebaut hat (oder wenigstens dabei geholfen hat, wie er beim Bau des Wildernessschen Hauses), dachte Roderick, bekommt er vor solchen Dingen wie griechischen Säulen vielleicht Minderwertigkeitsgefühle. Wenn er jedoch zufällig auch nur ein Sommerhäuschen am Strand mitgebaut hat, liegen ihm solche Gefühle fern, selbst wenn er die Gesamtbedeutung eines dorischen Tempels nicht versteht. Der Schaft ohne Säulenfuß, das Kapitell und das untere Gesims, das die Säulen verbindet – soviel war klar. Die Schäfte entsprachen den Zedernpfählen, die sie in den harten Boden gerammt hatten. Kapitelle hatten sie unabsichtlich gemacht, nämlich weil sich herausstellte, daß sie einen Pfahl versehentlich zu tief eingerammt hatten, so daß zwischen ihm und der Wange ein Zwischenraum blieb, den sie mit einem Holzklotz ausfüllten. Die hölzerne Wange, eine zwei- bis dreizöllige Planke, entsprach dem unteren Gesims, und eigentlich hätte sie natürlich unmittelbar auf dem Pfahl ruhen müssen; das Kapitell hatte also vielleicht ursprünglich gar keine Funktion gehabt, sondern war einfach durch einen Fehler beim Bauen mit Holz entstanden; bei irgendeiner Gelegenheit – vielleicht weil man um der Symmetrie willen den Fehler der einen Seite auf der anderen wiederholen mußte – hatte dann jemand gefunden, daß diese Notlösung eine ästhetische Verbesserung sei. Diese merkwürdigen Gedanken gingen Roderick durch den Kopf, während er, über seine Kamera gebeugt, Tansy und den Führer, die im Gespräch vor dem Tempel des Apollo standen, scharf ins Bild zu bekommen versuchte, denn die Beleuchtung war jetzt gut: die Sonne neigte sich langsam dem Westen zu, und die Ruinen warfen scharfe, interessante Schatten. So lächerlich und weit hergeholt es klingen mochte: nach seinen letzten Überlegungen empfand Roderick nun doch gewisse Verwandtschaftsgefühle für die Erbauer von Pompeji... Aber diese Pompejaner – was hatte sie zum Bauen getrieben? Welcher Instinkt trieb die Menschen dazu, sich wie die Rebhühner, wie Sardinen in Tomatensauce zusammenzupferchen? Woher diese feige Abhängigkeit von der Gegenwart anderer?

Plötzlich glaubte er zu wissen, woran es lag. Hier – in Pompeji, in Neapel – war es ihm widerfahren, ihm, Roderick McGregor Fairhaven, dem Besucher aus dem hohen Norden. Auf eine kurze Formel gebracht, war es das Gefühl der verrinnenden Zeit. Warum quälte man sich mit der Betrachtung von Dingen, die nur vorübergehend verschont geblieben, letzten Endes aber zum Untergang verurteilt waren? Und – die Frage drängte sich auf – begann nicht im Grunde auch der Mensch in einem tiefen, unerklärlichen Sinne zu seiner Umgebung in einer unvollkommenen oder verzerrten Beziehung zu stehen, genau wie er selbst? Der Mensch hatte einst im Mittelpunkt des Universums gestanden wie die Elisabethanischen Dichter im Mittelpunkt der Welt. – Aber die von Menschen geschaffenen Ruinen unterschieden sich insofern von den Ruinen von Pompeji, daß man die ersteren größtenteils nicht erhaltenswert gefunden oder abgetragen hatte. War mit den Ruinen ein kostbarer Teil des Menschen abgetragen worden? Zuweilen hatte man den Eindruck, als baute der Mensch im Hinblick auf die Ruinen… Neapel sehen und sterben!

«Vielen Dank, Tansy-Schatz», sagte Roderick, nachdem er geknipst hatte. «Darf ich jetzt ein Bild von Ihnen allein machen, Signor?»

«*Si*», sagte der Führer, offenbar als Abschluß seiner Unterhaltung mit Tansy. «*Sì*, ich bin Pompejaner.»

Und plötzlich lachte der Führer, dieser völlig ausgeglichene Mensch, als wollte er ihnen einen Gefallen tun, er lachte und hob die Hand zum römischen Gruß, und so knipste Roderick ihn: den rechten Arm erhoben, so daß seine Jacke sich unter den Armen spannte und die Papiere aus seinen Taschen quollen – und hinter ihm die Säulen des zerstörten Apollo-Tempels.

«Wir danken Ihnen vielmals für alles, Signor», sagte Roderick, während er den Film weiterdrehte und die Kamera wieder in die Tasche steckte.

Als sie durch die Porta Marina hinausgehen wollten, sagte Signor Salacci: «Das Tor ist wie ein Schornstein gebaut, für Ventilation: frische Luft vom Meer wird hochgesaugt, weht zum Berg hinauf und lüftet die Stadt – Straße nach rechts stark abfallend. Wenn es regnet, läuft Wasser nach rechts, und man geht links im Trockenen.»

Und als sie sich am Portal mit Handschlag verabschiedeten, ermahnte er sie: «Sklaven und Tiere auf eine Seite, Leute auf andere.»

Sie blickten alle drei über die alte Stadt zum Vesuv hinüber, und Roderick fragte:

«Und wann, glauben Sie, wird es wieder einen Ausbruch geben, Signor?»

«Ah…» Signor Salacci betrachtete den Berg mit schwermütigem Kopfschütteln. Und dann verbreitete sich der Ausdruck gewaltigen Stolzes über sein Gesicht, und er sagte: «Aber gestern, gestern hat er mächtig gerumpelt!»

50 Taschenbücher im Jubiläumsformat
Einmalige Ausgabe

Paul Auster, *Schlagschatten*

Simone de Beauvoir, *Ein sanfter Tod*

Pinckney Benedict, *Der Tag, an dem ich Moon rausholte*

Tania Blixen, *Stürme*

Wolfgang Borchert, *Die Hundeblume*

Paul Bowles, *Die leichte Beute*

Richard Brautigan, *Wir brauchen mehr Gärten*

Rolf Dieter Brinkmann, *Guten Tag wie geht es so*

Harold Brodkey, *Eine nahezu klassische Story*

Albert Camus, *Der Abtrünnige*

Truman Capote, *Die Stimme aus der Wolke*

John Cheever, *Im Schatten der Ginflasche*

Roald Dahl, *Gelée Royale*

Friedrich Christian Delius, *Die Birnen von Ribbeck*

Irene Dische, *Mr. Lustgarten verliebt sich*

Deborah Eisenberg, *Wie es mit Chris war*

Carlos Fuentes, *Die Puppenprinzessin*

Elke Heidenreich, *Kleine Reise*

Ernest Hemingway, *Das kurze glückliche Leben
des Francis Macomber*

James Herriot, *Tricky Woo*

Mascha Kaléko, *Großstadtliebe*

Elsa Sophia von Kamphoevener, *Ali, der Meisterdieb*

Jack Kerouac, *Allein auf einem Berggipfel*

William Kotzwinkle, *Brief an einen Schwan*

50 JAHRE ROWOHLT ROTATIONS ROMANE

Helmut Krausser, *Das Liebesleben des Giacomo Müller*

Kathy Lette, *Er kommt um sieben*

Malcolm Lowry, *Hotelzimmer in Chartres*

Klaus Mann, *April, nutzlos vertan*

Henry Miller, *Das kleine Buch der Freunde*

Lorrie Moore, *Zwei Männer*

Paul Morand, *Amouren*

Alberto Moravia, *Ist er nicht reizend?*

Milena Moser, *Der junge Mann von gegenüber*

Harry Mulisch, *Das Standbild und die Uhr*

Robert Musil, *Allerhand Fragliches*

Vladimir Nabokov, *Der Zauberer*

Anaïs Nin, *Pfauenfedern*

Beth Nugent, *Heuschrecken*

Dorothy Parker, *Eine starke Blondine*

Rosamunde Pilcher, *Der Brombeertag*

Edgar Allan Poe, *Die schwarze Katze*

Thomas Pynchon, *Unter dem Siegel*

Philip Roth, *Das Lied verrät nicht seinen Mann*

Peter Rühmkorf, *Die Last, die Lust und die List*

Jean-Paul Sartre, *Briefe an Simone de Beauvoir 1926–1935*

Isaac Bashevis Singer, *Der seidene Kaftan*

Italo Svevo, *Mein Müßiggang*

Kurt Tucholsky, *Die Unterwelt der Gefühle*

John Updike, *Museen und Musen*

Joy Williams, *Die blauen Männer*

Programmänderungen vorbehalten